Restauradores DE VIDAS

Maribel B. Almonte

RESTAURADORES DE VIDAS
Maribel B. Almonte

Portada: Julio César Moreno Perez
Compañía Búfalo Design.

Corrección de estilo: Diez veces más
Diagramación: Diezvecesmas@gmail.com

© 2024
Primera edición

Versículos bíblicos indicados con Reina Valera, han sido tomados de la Santa Biblia, versión RV60. Sociedades Bíblicas en América Latina.

ISBN : 9798322520269

PRÓLOGO

Creer que todas las palabras de Jesús son reales, a menudo conlleva a llegar a conclusiones que retan nuestra fe; *"En el mundo tendréis aflicción..."* Juan 16:33, no es solo la primera parte de una gran promesa de victoria y paz, sino el presagio del caos, desorden, escombros de sueños rotos, relaciones desmoronadas, y fragmentos de lo que hubiéramos querido ser.

En ese lugar donde las sombras se alargan y el mundo te cae encima, es donde la intervención divina se manifiesta de manera poderosa y lo que prometía ser una tumba, se convierte en un taller que te forma y equipa, para cambiar tu valle de lágrimas en fuentes de sabiduría. Es aquí donde: *"Restauradores de Vidas"* tiene su razón de existir. Es imposible que hable de que la aflicción y el dolor son inevitables y nos deje a expensas del trauma y la frustración.

Esta obra es una herramienta extraordinaria que nos sumerge en el misterio de cómo Dios trabaja en medio de nuestras mayores pruebas y tribulaciones. Maribel Almonte, con una pasión ardiente por la sanidad interior y la restauración, nos guía a través de su propio proceso, mostrándonos cómo Dios puede permitir sucesos dolorosos que, en su sabiduría insondable, destruyen lo que somos para que podamos ser moldeados según su idea original y propósito eterno.

Maribel se caracteriza por hablar directo, su autoridad para exponer estos temas es admirable, porque solo puede enseñar con autoridad quien ya experimentó sanidad y perdón divino. Estas páginas fueron escritas con lágrimas, decepción, abandono, necesidad y dolor; que hoy sirven de tinta para que descubras como las ruinas de la vida pueden convertirse en el lienzo en blanco sobre el cual Dios pinta sus propósitos.

También tiene en sus manos un pliego de equipamiento ministerial, que le inspirará a conectarse con la visión de ser una vasija de honor, moldeada y restaurada por el Creador, no solo para cantar victoria, sino para ser catalizadores de la victoria de los demás.

"Dios no restaura vasijas para tener un anaquel lleno de vasos hermosos; restaura para servir en nosotros el agua de la redención, sanidad y salvación a aquellos que lo necesiten.

Prepárese para ser inspirado, desafiado y, sobre todo, testigo de la extraordinaria obra del divino Restaurador. "Restauradores de vidas" le llevará a un viaje de redención y transformación que le cambiará para siempre.

Pastora Thelma Constan
_____

Hablar de Maribel es hablar de una mujer guerrera y emprendedora a la vez, con un gran espíritu de superación y crecimiento. Sobre este proyecto: "Restauradores de Vidas", sin lugar a duda tiene mucho que darnos, partiendo desde su experiencia vivencial acerca de este tan interesante y edificante tema.

Le motivo a que entre a este maravilloso mundo de la restauración, con una señal de esperanza y de que no todo está perdido.

Obispo Mauro Antonio Vargas
_____

En el 2021 tuve el honor de conocer a esta extraordinaria mujer, y en el 2022 Dios nos bendijo con nuestra boda. Maribel es una mujer excepcional, con un comportamiento a la altura de su llamado, definida por la madurez que muestra ante situaciones que se lo exigen; muy procesada y admirada por mantener ante los procesos una postura inquebrantable.

Como su esposo, la describo en dos palabras: madurez y temor de Dios; características que no sólo la definen como ministro, sino como esposa. Es una mujer en el ámbito familiar de carácter y rectitud dentro y fuera del escenario, y en su vida personal ha sido un ejemplo que hace la diferencia entre el proceso y el resultado de este. En este proyecto no solo tendrá una revelación directa de Dios, encontrará un testimonio que será de bendición y verá a Dios tomar aquello que es vil, y convertirlo en una vasija de honra.

Michel Mora Ramírez

INTRODUCCIÓN

Domingo 16 de julio del año 2017, eran aproximadamente las ocho de la noche, y no olvidaré jamás aquellas horas, que para mí no fueron nada cómodas. Me dirigía al sur de República Dominicana, específicamente a Azua de Compostela. La tristeza de saber que tendría que desconectarme de mis padres, y entraría a una zona que no conozco, su cultura, proceder, absolutamente todo era diferente a lo que estaba acostumbrada, esa desconexión y nuevo comienzo era la plataforma para crecer, por lo tanto, vendrían desafíos que acompañaban dicho comienzo, y eso me producía miedo y tristeza. Conocía que tenía el llamado, pero mi primer entrenamiento me llegó de sorpresa, no estaba lista, sencillamente no constaba en mis planes aun, en mi mente había un esquema y pastorear, siéndole honesta, no lo encabezaba.

Ya Dios había tratado conmigo de una manera muy clara que me llevaría a una zona peligrosa, seca, árida, escasa; pero que ese lugar sería el entrenamiento para lo que hoy estoy redactando. Créame, lo superado me hace tomar una silla y respirar profundo y recordarme que todo pasa, por más que duela, cada situación tiene una enseñanza, la cual debemos disfrutar y experimentar sin saltar pasos.

Una de las características principales de este lugar, de manera general, es que necesitaba con carácter de urgencia un rompimiento, en todo el sentido de la palabra. El concepto evangelio era pobre, vacío y falto de sal, de esa que la Palabra menciona como un pedacito de sustancia sólida que define el sabor de todas las cosas.

El alto nivel de pecado, adulterio, fornicación, abuso sexual, depravación (incluyendo actos en el mismo lugar donde se llevaba a cabo la liturgia) era un desafío muy agresivo para una mujer soltera que apenas estaba iniciando en el ministerio. Familias destruidas, muchas jóvenes con necesidades afectivas, incluyendo también la urgencia de un consejo divino. Justo ahí, en medio de ese desafío me colocó Dios.

Recuerdo que apenas con dos meses pastoreando me enfrenté a un caso legal que pudo haber puesto en peligro mi vida, me tocó lamentablemente someter a alguien, que le pondré como nombre Juan. Era un hombre servicial, despojado, responsable con las cosas de Dios, humanitario, fiel en la iglesia en todo el sentido de la palabra, pero lamentablemente todos tenemos un punto de debilidad que de no fortalecer, nos podría llevar a enfrentar consecuencias como las que le tocaron a él.

Una mañana desperté, y Dios había puesto mis ojos sobre Juan, por medio del Espíritu Santo podía discernir que no todo estaba bien, su mirada y comportamiento me mandaban un aviso de alerta. Para no cansarle y a manera de resumen, después de muchas investigaciones, descubrí que era un pedófilo (trastorno de atracción sexual por niños) y no solo lo supe, sino que lo enfrenté públicamente ante tribunales. Fue un proceso muy difícil, sus hijas estaban muy dolidas, pero al mismo tiempo cooperaron conmigo y juntas fuimos a llevarlo al departamento responsable de asumir ese caso.

De todo esto me quedó una muy hermosa lección, este señor pidió perdón y no solo a nosotros como iglesia, sino que mostró un arrepentimiento sincero, tomó responsabilidad de sus actos y hoy, aunque está preso físicamente, su alma fue libre de esa opresión y atadura que por años le mantuvo atado.

Este proceso fue el desafío que removió y sacudió de manera violenta mis raíces, me dieron las herramientas y experiencias para iniciar y al mismo tiempo conocer los pasos fundamentales en cuanto a restauración se refiere, no solamente en el área de confrontar, sino de dar acompañamiento y llevar a cabo procedimientos para restituir de manera exitosa a quien lo necesita.

Un llamado a la Iglesia

Los tiempos cambian, esto frente a la iglesia actual, no solo representa un reto, sino que exige que la misma haga su función de manera corporativa. Cada temporada trae consigo una manifestación y cada manifestación representa retos que dejan expuesto el material y carácter que hacen de la iglesia un oasis, centro de acopio y descanso de aquellos soldados que en medio de la guerra no mueren, pero necesitan de la función de un equipo que venda sus heridas.

Desde que tengo uso de razón, mi vida se compuso dentro del marco de la religión, crecí en el evangelio y desde muy pequeña mis padres infundieron en mí el amor a Dios y sus mandamientos, pero de ese episodios también recuerdo que la iglesia donde conocí el evangelio tenía una metodología a nivel disciplinario muy diferente a lo que hoy conocemos como la parte que corrige y confronta un mal proceder de un líder, pues tenemos que tener muy claro que la corrección forma parte de la liturgia cristiana y también está dentro del marco del desarrollo del carácter de Cristo que se revela en la vida del creyente. Para esto, también debe formar parte de la disciplina que tiene como función alinear y restaurar el daño ocurrido.s

Haciendo un breve análisis entre lo actual y pasado que tiene que ver con la iglesia, hay algo que sigue vigente y se ve a diario de manera palpable, la iglesia a nivel general carece de líderes con corazón restaurador, escasean hombres y mujeres de Dios que puedan ver más allá de la desgracia actual que está o puede estar pasando un instrumento, que no todo el tiempo estuvo en una mala condición. Cuando el pecado sale a la luz, no solo expone la falta de respeto a lo sagrado de aquel que lo comete, también revela la esencia y el corazón de la iglesia, de esta forma queda evidenciado de manera pública, qué tanto practicamos al Cristo que tanto predicamos.

Tenemos un desafío y de nosotros depende revelar qué tan cerca y entronizado está Dios en nuestro corazón, pues no podemos olvidar y pasar por alto, que la esencia verdadera de la iglesia es reparar, restaurar y restituir.

ÍNDICE

Capítulo I

CUANDO UN HOMBRE DE DIOS CAE

> *Si aprendemos a mostrar nuestro lado humano, evitaríamos frustraciones en el corazón de aquellos que nos siguen.*

Era una tarde común como cualquiera, pero algo en especial sellaba y la separaba de las demás, siendo aproximadamente las 5:00 pm., se escuchaba la algarabía de todo un pequeño sector que contaba las horas para asistir a la campaña evangélica donde milagros, señales, prodigios y la manifestación de Dios eran palpables. Dicha actividad era efectuada por un pastor cuya fama se extendió en todo el sector, un hombre que gozaba de respeto y honra, los antisociales respondían a su consejo, representantes territoriales le guardaban respeto; contaba con un respaldo del cielo tan fuerte, que no existían dudas de que había sido puesto por el mismo Dios en la función que no solo ejercía como pastor, sino como un icono de muchísima admiración, y de alta estima ante la vista de todos lo que conocimos sus inicios. Avivamiento, liberación, sanidad, milagros, altares derribados, cientos de convertidos, era impresionante lo que este hombre provocó por años en aquel lugar donde ejerció su llamado, pero todo dio un giro inesperado.

Recuerdo que siendo muy niña me aparté de la iglesia, mi familia se convirtió en un caos, y en lo personal tenía una inclinación muy directa con el baile, pues me tomé unas "vacaciones" (abandoné el camino de Dios) aproximadamente de cinco años; vacaciones que me salieron muy caras.

Cuando retorné, me llevé la sorpresa que jamás imaginé, los comentarios que hasta ahora no cesan, aquel hombre de Dios, admirado y respetado, cometió un error, que pudo más que su función ejercida con autoridad y sin la menor duda de un respaldo indiscutible. Siéndole honesta, me costaba creerlo, —no certifico nada que no vi— , pero me llamó más la atención el comportamiento de la iglesia que su propia caída, aproximadamente 14 años después, la tacha y descalificación continúan, una caída que le llevó a perder lo que lamentablemente en esa zona será muy difícil de recuperar: credibilidad y testimonio.

Desde esta plataforma y acontecimientos, vengo realizando un análisis en cuanto a la función y manejo de la iglesia en dicho tema, no es actual que como sal hemos perdido sabor, la falta de tacto y prudencia ante un proceso de acompañamiento siempre ha sido un tema que nos deja en tela de juicio. Damos gloria a Dios por la generación de pastores, hombres y mujeres de Dios que han desafiado la religión y traído reforma en dicho tema, dejando como evidencia a un Dios restaurador y de segundas oportunidades.

> *Cuando un hombre de Dios cae y es expuesto de manera pública, su testimonio pasa a ser una obra de arte, opacada por tinta negra de la vergüenza.*

Estoy plenamente convencida —y no me queda duda— que el peor error, más bien, la desgracia que le puede llegar a un escogido es expandirse y tener influencia cuando su carácter no está trabajado. A veces nos preguntamos: ¿Qué se supone que pasa cuando un hombre de Dios cae? Cometer errores no solo te afecta a ti, también afecta tu entorno, y esto deja tu vida expuesta a consecuencias evidentes y muy palpables. Existen tres resultados a enfrentar cuando se comete un error: moral, emocional y espiritual. Muchas veces ignoramos lo que vive internamente la persona afectada, sin temor a equivocarme, es y será el escenario más difícil que cualquier creyente pueda experimentar, mayor aún, si estamos hablando de un icono que goza de respeto.

- **Daño Emocional:** Las caídas (cometer un error) son el episodio que le puede ocurrir a cualquiera, pero la mayoría de las veces el problema está en que tenemos conciencia del daño que puede hacer, pero, de todos modos, decidimos hacerlo sin medir consecuencias.

  Como seres humanos cabales y pensantes, tenemos una voz llamada conciencia, muy dentro de nosotros existe el sonido de la advertencia, pero por decisiones propias determinamos continuar, caemos en el error de pensar que no habrá consecuencias de nuestros actos, de hecho le llamamos "tentación orquestada" al suceso de nuestra propia concupiscencia, atribuyéndole a Dios la responsabilidad de un hecho del cual nada espiritual tiene que ver. El apóstol Santiago expresó las siguientes palabras:

Que nadie, al ser tentado, diga: es Dios quien me tienta. Porque Dios no puede ser tentado por el mal ni tampoco tienta a nadie. Todo lo contrario, cada uno es tentado cuando sus propios malos deseos lo arrastran y seducen.
Santiago 1:13-14 (NVI)

Las caídas son el resultado de falta de carácter, grietas en nuestras emociones y descuido en nuestra devoción e integridad ante Dios, jamás será utilizada la caída en errores como un punto de plan divino para subirnos de nivel, nos sube de nivel la Restauración por medio de Cristo, no el pecado que nos aleja y separa de nuestro diseño.

- **Daño Moral:** Todo aquel que sigue un ministro de la índole que sea, adorador, profeta, apóstol, evangelista, etc., tiene en su mente el concepto de que este es y debe ser perfecto, que ninguna mancha debe encontrarse en él. Aunque sea difícil de admitir, sabemos que bíblicamente todo ministro tiene reglas que debe cumplir para ser partícipe de ciertas funciones. Ministrar en el altar no es solo tomar un micrófono y arengar, es tener una vida de devoción, integridad y pureza delante de Dios y los hombres, esta es la razón que, si existe algo que todo hombre y mujer de Dios debe cuidar con celo y temblor, es su testimonio, de manera que lo que se comente sea solo una calumnia, no una verdad que tarde que temprano tendrá que enfrentarla.

Palabra sana e irreprochable, de modo que el adversario se avergüence, y no tenga nada malo que decir de vosotros.
Tito 2:8

Cuando un hombre de Dios pierde credibilidad, debe saber que toda su vida caminará con una estampilla que le perseguirá a donde quiera que fuere, pues aun haciendo que un muerto recobre vida, los espectadores solo recordarán que ese hombre una vez falló, pues si de algo estamos claros, es que la naturaleza del hombre no perdona y es experta descalificando, aun aquel que reconoce y se humilla.

- **_Daño Espiritual:_** tenemos conocimiento de la doctrina de la gracia y la justificación, pero existe un sentimiento que arropa el sistema completo del hombre cuando falla, y esta opresión espiritual caracterizada por el peso de la vergüenza, es la causante de alejar a quien peca, de esta manera le gana la cobardía y se esconde detrás de la justificación. El libro de Génesis expone este episodio de manera muy clara, Adán comete pecado, pero en vez de reconocer, se justifica, este accionar le hace perder la conexión directa que tenía con Dios, el hombre era un ser totalmente espiritual, hasta el momento de la caída, el transgredir una ley le costó una desconexión de su naturaleza espiritual, aunque Cristo se ofreció como cordero y por medio de su sacrificio traer reemisión de pecado, existe hasta hoy una sentencia que queda incrustada en nuestro diseño llamada "naturaleza caída" que experimenta restauración por medio de la gracia recibida de manera inmerecida.

La caída de un hombre de Dios no solo es un acto que genera vergüenza de sí mismo, también representa una tacha para la iglesia y a cada ministro que ejerce la misma función, el hombre tiene una inclinación a ser clasista, pero en este sentido no sopesa ni divide, los introduce a todos en el mismo molde. Si hoy, la mayoría de las personas alegan no creer en ningún pastor, es por la falla de uno que ejerció con altura, pero un error empañó todos sus años de esfuerzo. Las tinieblas saben exactamente cuándo y cómo atacar para que la iglesia pierda fuerza en una de sus áreas más poderosas, el poder del testimonio y la integridad que debe revelar ante la sociedad y el mundo.

Cuando un hombre de Dios cae, hay un infierno interno que se desata, la ansiedad se convierte en su almohada, la depresión en su mejor amiga, duda de la benevolencia de Dios sobre su vida y pone en juego lo que por años muchas veces predicó a otros. Exactamente después de una caída, queda revelado cuál era el interés real del corazón de la víctima, su vida y ministerio están a un paso de colapsar

de manera definitiva, o enfrentar con altura y carácter lo que le compete como hombre que tiene a Dios en su corazón, y que no solo lo pregona, sino que lo conoce.

Muchas veces las caídas son necesarias, no porque estén orquestadas por Dios, sino porque a menudo olvidamos la naturaleza que nos gobierna y nos convertimos en ignorantes de las maquinaciones de nuestro adversario, este sabe esperar pacientemente el cómo, cuándo y dónde organizarte el escenario, ahí exactamente quedará revelado qué tanto usted se parece al Cristo que predica, sobre todo, que nivel de dominio posee en las áreas donde es débil y si realmente ya no es un preso de tu propia cárcel.

Capítulo 2

MIEDO, CULPA Y VERGÜENZA

Él respondió: oí tu voz en el huerto, y tuve miedo, porque estaba desnudo; por eso me escondí.
Génesis 3:10 (RVR1995)

> ***Cuando la culpa se conecta con el ego, el resultado es un ser que carece de humildad para aceptar su falta.***

Imaginemos por un momento que Adán en vez de buscar un culpable y justificar su caída, acepta su culpa y se humilla delante de Dios, posiblemente no estaríamos sufriendo de una herencia llamada pecado, la cual también recibe el nombre de la naturaleza caída.

Uno de los líderes en República Dominicana, cuyo trabajo y trayectoria le posicionan como un ente de referencia en el marco de la conducta, es el Dr. José Dunker. En su libro *El Nuevo Marco Tridimensional*, explica cómo estas tres emociones son una herencia desde el Génesis que persigue de manera consecutiva la parte cognitiva del hombre, pues este, la mayoría de las veces busca un culpable donde el único responsable es él, esto es producto del alto grado de vergüenza que siente, acompañado de la culpa, estas tres emociones no le permiten hacerse responsable de sus actos y asumirlos con el debido carácter que se le exige.

Según los estudiosos de la Palabra, cuando Dios asignó el árbol de la ciencia del bien y del mal, lo que sucedió con Adán y Eva fue un despertar de conciencia, pudiéramos decir que Adán y Eva se encontraban frente a un desafío que de manera impulsiva les atraía e incitaba a violentar una ley divina, cuyo resultado sería un fin caótico, no solo para ellos, sino a su descendencia completa. El pecado original, es decir, el pecado adámico, dejó en nuestro carácter la misma actitud de cobardía que se desató desde el momento de la caída, tenemos la conciencia de lo que produce muerte, pero de igual manera vamos tras el veneno, ante la consecuencia de este, es muy difícil emitir que aceptamos nuestro grado de responsabilidad, siempre es más fácil buscar y delegar sobre otros el papel que nos compete a nosotros.

Desde pequeña siempre escuché una oración: "después que existen las excusas, nadie queda mal", pero no reconocer podría dejarnos en medio de una escena que nos puede salir caro, nos puede costar nuestra reputación, familia, y todo lo que tuvo inversión de tiempo y dedicación, todo en absoluto puede destruirse por la falta de carácter y enfrentar con altura nuestras responsabilidades, cuando el miedo gobierna, la destrucción quedará como evidencia.

Es fácil decir "que cobarde eres", pero muy pocas personas conocen lo que significa enfrentarse al miedo emocional y moral. No todo el mundo está listo para resistir lo que significa ser rechazado por un error, no todos tienen la osadía y la valentía de enfrentarse a un problema que pone en juego su credibilidad y años de trayectoria, ni están listo para decir en qué parte falló, sabiendo que eso representa perderlo todo, incluyendo su familia; por tal razón, no juzguemos aquello que nunca hemos vivido, existe una victoria cuando se confiesa y se enfrenta con altura un error cometido, pero solo aquellos que no se dejan dominar por el miedo logra conocerlo.

Existe una victoria cuando se confiesa y se enfrenta con altura un error cometido, pero, solo aquellos que no se dejan dominar por el miedo logran conocerlo.

El miedo es un espíritu que cauteriza, paraliza y estanca, por esa misma razón, un niño cuando se ve confrontado por su padre por una travesura, se defiende ante el miedo de ser castigado, pero sus ojos revelan y dejan expuesto su grado de responsabilidad.

En el acontecimiento del Génesis queda revelado el impacto emocional que deja con una grieta el carácter del hombre.

Adán contestó: Escuché que andabas por el jardín, y tuve miedo porque estoy desnudo. Por eso me escondí.
¿Y quién te ha dicho que estás desnudo? —le preguntó Dios— ¿Acaso has comido del fruto del árbol que yo te prohibí comer?
El respondió: —la mujer que me diste por compañera me dio de ese fruto y yo comí—.
Génesis 3:10-11

Note como el miedo domina completamente a Adán, y él mismo lo lleva a ocultarse, la vergüenza de saber que estaba desnudo, lo impulsa no solo a esconderse, sino a crear el argumento que lo justifique, pues una de las características fundamentales de la cobardía es agredir a un tercero y limpiarnos ante el error cometido.

La justificación es un mecanismo de defensa que utiliza el cerebro ante una amenaza, los miedos en combinación con el mismo bloquean el paso a una solución que en este caso solo se consigue asumiendo características que los cobardes no poseen.

El miedo a ser descubierto, pensar en las consecuencias y el qué dirán, es el episodio más complicado ante el error cometido, no importa exactamente cuál sea, ser humano por naturaleza siempre buscará la manera de no asumir el porcentaje de responsabilidad que tiene ante ciertas situaciones, por lo tanto, es ahí precisamente a donde hace su entrada el ego, la víctima de este por protegerse se oculta y persiste en justificación, pero no asume. No asumir cierra el paso a que puedas restaurarte, mientras ocultas y creas excusas, te estás cerrando paso a salir de la cárcel y de algo debemos estar seguros; Dios no perdona excusas, el restaura y restituye a quien reconoce y se humilla.

¿CÓMO TRABAJA LA CULPA?

La emoción de tristeza siempre estará acompañada de una sensación extremadamente incómoda llamada sentimiento de culpa. Dicho sea de paso, ante cualquier error cometido, el hecho no tiene tanto impacto en la mente como lo tiene la culpa, esto se convierte en una sentencia que día y noche es utilizada como velo mental que no te permite conocer, experimentar y recibir el perdón. Ante los sentimiento y descontrol que esto genera, puede que usted esté frente a una persona tóxica y conflictiva que tenga como centro de su desorden un alto nivel de frustración cuyo epicentro es la culpa, pero la incapacidad e inmadurez de asumir, los lleva a compartir este sentimiento, delegando sobre los demás la responsabilidad que les compete. Si conociéramos el impacto de nuestras acciones, tendríamos cierto nivel de cuidado al actuar, pues salir de una crisis de consecuencias, no es un acto que se logra de manera inmediata.

LA CULPA Y NUESTRO SISTEMA CEREBRAL CENTRAL

Se ha preguntado: ¿Por qué la culpa es más dañina que el acto? Como explicaba, la culpa es la sentencia con la que la mente trabaja, y se debe a que la neurociencia explica que el sentimiento de culpa está conectado al lóbulo frontal, que está asociado con funciones cognitivas superiores muy asociadas a la toma de decisiones, la planeación y la solución de problemas. De ser esto cierto, damos por sentado lo dicho, la culpa te deja paralizado y se conecta con el miedo que produce la vergüenza que traerá si lo cometido sale a la luz, por esta razón, el individuo se vuelve inamovible de su decisión porque le cuesta hacer el movimiento de aceptar, trabajar en ello y sanar.

La culpa se convierte en una fortaleza mental, que es lo que las tinieblas orquestan en nuestra mente a través de la cultura, produciendo una ceguera espiritual que solo se quebranta con la verdad de Cristo. Gogisma, en griego es argumentos, y todo argumento se quiebra por el efecto y poder de la Palabra, la culpa te limita ser libre, la verdad de Cristo te hace recibirla y te sella como partícipe de la libertad. (Hebreos 4:12)

El Señor es excelso, pero toma en cuenta a los humildes y mira de lejos a los orgullosos.
Salmos 138:6 (NVI)

El apóstol Pablo habla en la carta a los Gálatas acerca de no dejarse dominar por el yugo de la esclavitud de la que una vez fuimos partícipes, haciendo uso de la libertad que tenemos en Cristo, esto no es una licencia para vivir en una vida

desorganizada, más bien, un recordatorio para que revelemos madurez en nuestros actos y mostremos la esencia de Cristo en nosotros, el carácter trabajado y sometido a Dios no se revela en el fluir de los dones, se revela en el manejo ante ciertos episodios que nos ponen al descubierto; esta es la razón de la decepción que patrocina el evangelio de hoy día, estamos enfocados en la función, pero estamos pasando por alto el carácter.

Cometer errores es propio de nuestra naturaleza, pero ante el hecho cometido muchas partes tanto externas como internas se revelan, puedo asegurar que aquel que tiene una relación verdadera con Dios no resiste el peso de conciencia que día y noche martilla recordando que tiene un capítulo abierto y que debe cerrar; existe lo que es la convicción de pecado, este se caracteriza por la opresión y el profundo sentimiento de tristeza que se experimenta ante la falta cometida, de la única manera que podemos experimentar libertad es confesando, asumiendo y enfrentando consecuencias.

El miedo, la culpa y la vergüenza, la combinación de estas tres emociones tienen el poder de cauterizarle a nivel mental y llevarle a lo que llamo "cárcel de opresión", esta situación emocional le quitará la paz y mientras pasen los años le desgastará en todo sentido de la palabra.

La cobardía se vence con dominio propio, la disciplina y carácter suficiente para no permitir a sus emociones que le dominen, todo lo contrario, usted las domina a ellas.

Pues Dios no nos ha dado un espíritu de timidez, sino de poder, de amor y dominio propio.
2 Timoteo 1:7 (NVI)

Capítulo 3

¿POR QUÉ VIENEN LAS CAÍDAS?

Si de algo debemos estar seguros es que tenemos un enemigo que no descansará hasta vernos totalmente derrotados, sin embargo; ese no es nuestro enemigo en sí, es más bien un instrumento que opera según lo que nosotros hacemos, para decirlo de manera más clara, él no puede hacer nada ni entrar a nuestras vidas sino existe una legalidad que se lo permita.

Cuando era pequeña tenía una capacidad impresionante para correr, y aparte de esto extremadamente tramposa, muchas veces le decía a mi contrincante: ve delante, te voy a dar gabela, en República Dominicana le llamamos así al acto de que alguien se adelante en una carrera, pero detrás de ese acto existe una premeditación, por esa razón, cuando alguien quería llegar al punto, hace ratos yo estaba sentada en un contén esperando, sencillamente porque me sabía el camino con todos sus atajos.

El apóstol Pablo le dio a los Corintios una advertencia:

"Para que satanás no gane ventajas algunas sobre vosotros; pues no ignoramos sus maquinaciones".
2 Corintios 2:11

La palabra maquinación, La RAE la define como acción o plan secreto entre dos o más personas para preparar o manipular algo. Esta también se asocia con la palabra griega neomata, que se traduce como esquema, el esquema pudiéramos decir que es el anteproyecto de algo, similar a resumen, guion, etcétera, haciendo uso de estas palabras, llegamos a la conclusión de que existe un enemigo que a diario máquina de qué forma destruir mi propósito, o generar atraso de este, pues de satanás poder destruir un propósito, dejaría Dios de ser soberano.

Ciertos escenarios paralizan, pero no destruyen por completo, esa es la razón por la que moriré diciendo que el pecado no promociona ni sube a nadie de nivel, todo lo contrario, lo estanca; satanás es un adversario, su trabajo es destruir todo lo que tenga como punto exacto promocionar y pregonar a Cristo, esto es literalmente una guerra de simientes, pero, para que los planes de las tinieblas se lleven a cabo, primero dedica tiempo observándome y a medida que pasa el tiempo, quedará expuesto el plan que pudo materializarse con las herramientas que yo mismo otorgué, es decir: el enemigo mayor no es el diablo, mi naturaleza caída le permite, le da acceso y legalidad para destruirme.

Es muy común escuchar: "satanás me hizo caer", pero de muy pocos se escuchará la palabra exacta que debe emitirse cuando esto sucede, caí porque me faltó carácter, porque de algo estamos seguros: ¡satanás le ofrece el plato, la decisión de comerlo es suya!

Existen miles de causas que llevan a un hombre de Dios a caer, trataremos de la manera más clara expresar las más comunes:

- **Falta de madurez y carácter:**

Si usted como líder quiere ver como el tiempo le expone un error garrafal, suéltele el altar a una persona sin formación y falto de carácter. Muchas veces confundimos madurez espiritual con el tiempo que las personas tienen siendo partícipes de la congregación, vemos el potencial y podemos discernir que dicha persona pudiera llegar a poseer un gran llamado pero, obviamos que como líderes, tenemos la encomienda de darle continuidad al trabajo del Señor con un creyente, Dios escoge, prepara y luego envía. Actualmente los escándalos que están agrediendo nuestro perfil como iglesia tiene un punto en específico, ministros bajo efecto microonda, no tienen formación y atacan áreas espirituales las cuales ellos aún no pueden ni deben y peor aún, atacan en otros lo que a ellos los domina. Pablo como mentor de Timoteo, antes de soltarlo en el ministerio, primero lo formó y le recalcó que debía ser un ejemplo para los demás.

Timoteo 4:12: *"Ninguno tenga en poco tu juventud, sino sé ejemplo de los creyentes en palabras, conducta, amor, espíritu, fe y pureza".*

Imaginemos por un momento que Pablo enviara a Timoteo al ministerio sin darle una formación previa, sería imposible que diera la talla como líder, Timoteo tenía potencial, pero Pablo fortaleció y formó su carácter.

Quien administra poder sin tener herramientas básicas de administración, con el tiempo revela lo que nada tiene que ver con una fuerza demoníaca, siempre veremos a satanás como el lobo del cuento, nos hace falta dejar de victimizarnos como Caperucita y tener el valor de reconocer que nuestra falta de dominio y carácter ce y será siempre nuestro mayor enemigo hasta que este se lleve a la cruz.

Existe una preparación antes de salir a la escena del esplendor que es producto de la gloria, la fama viene dentro del regalo que se otorga como resultado de estar a la cabalidad y carácter para poder administrarla, la fama nunca será mala, ella es parte de la gloria de Dios que se manifiesta en un tiempo determinado sobre todo aquel que ha sido asignado para un oficio celestial, pero se convierte en un arma de doble filo cuando no tenemos el carácter para administrarla.

Si quiere ver desorden, observe los cinco minutos de fama en un individuo sin formación, que el poder se le sube a la cabeza.

A un niño no se le da poder, en manos de un neófito no se ponen administraciones de peso, no posee ni tiene la madurez exacta para dominar y administrar con altura, los niños están bajo tutoría hasta la edad adulta y necesaria para administrar y manejar una herencia. Dios no pondrá su gloria en instrumento sin carácter que no sepa representarlo con dignidad.

La niñez espiritual es símbolo de esclavitud, la madurez adquirida por el proceso es legalidad y certificación, la misma le otorga la cualidad que se requiere para poseer y administrar una asignación con altura.

> *Poder sin madurez es sinónimo de caos y desorden.*

- ### *Capítulos No Resueltos*

No existe una herramienta más poderosa en el mundo de las tinieblas que pueda destruir a un hombre de Dios en fracciones de segundos, lo que este construye en cinco años, ellas pueden derribarlas en un abrir y cerrar de ojos, esa herramienta se llama debilidad. Son esas áreas que todavía no han sido depositadas en manos de Dios para que las sane y que de tiempo en tiempo se despiertan como un cáncer que hace metástasis y órgano por órgano lo va dañando.

Nuestro peor error puede llegar a ser, que pensamos que, al momento de nuestra conversión, hay una transformación inmediata, déjeme decirle que lamentablemente hay debilidades que usted tardará años para poder dominarlas, le costará lágrimas, decepciones de usted mismo, caerá una y otra vez, tropezará con la misma piedra y el mismo escenario, y cada vez que esto suceda, de manera interior una voz retumbará en sus oídos: ¿Qué hay en mí que todavía me gobierna?

Hay una canción de un icono de la música romántica llamado José José que dice: "tropecé de nuevo y con la misma piedra". Le cambié las letras y saqué un principio: tropezar de nuevo y con la misma piedra, habla más del pie que de la piedra; el pie tropieza porque no ha aprendido a esquivar la piedra.

Cuando yo me entregué a Dios, llegué al evangelio con marcas, heridas abiertas y muchas situaciones sin resolver, pero no me di cuenta de cuál era mi debilidad hasta que ésta casi me cuesta no solo mi ministerio, sino mi propia vida. Esa madrugada asimilé que estaba peleando con el enemigo equivocado, era el momento decisivo, vivir o morir en el intento de restaurarme por completo.

Yo tenía una debilidad en mis emociones, era demasiado ingenua y extremadamente débil con el afecto y aprobación de los demás. Parecerá sencillo y posiblemente usted entienda que eso no es una alarma para alguien que posee un llamado de Dios, si hacemos una conclusión, mi problema tenía nombre: "baja estima con cierto grado de egocentrismo". Si usted lo combina, eso da narcisismo por todos los lados. Las relaciones que tuve nunca llegaron a concretarse, pero cuando daba mi versión siempre me ponía como la víctima, me faltaba humildad para reconocer que el problema mayor lo tenía yo, que ellos llegaban, pero la que no le daba tiempo para que revelaran quiénes eran y comprometía su corazón sin conocer era yo, por esa razón estuve un tiempo promedio de seis años viviendo las misma situación, pero mi falta de humildad no me permitía percibir que tenía un cáncer que emocionalmente estaba acabando conmigo. Mi propia miseria y falta de humildad me dejaron al descubierto y no tuve otra opción que rendirme, devolverme de mi mal camino y corregir el desastre que hice. Duré seis años para poder sanarme de una sola relación, pero la herida me llevó a un túnel que solo Dios pudo sacarme, en ese periodo caí en la misma relación con el mismo escenario, pero con dos personas diferentes, una temporada de mucho dolor y cautiverio emocional que solo se quebró cuando dejé que la humildad del Espíritu Santo gobernara mi corazón, me dejé ayudar, me senté hasta sanarme, solté la agenda y me concentré en mi por un año y dos meses. Desde ese momento aprendí que la fama es solo un momento, y que mi relación con Dios vale más.

Usted camina, pero si descuida por un segundo su relación con Dios, a usted lo gobernaran sus emociones y su carne, y cada momento que se distraiga, arrastrará consigo un episodio que lo retrasará de su propósito. Pasé por alto la falta de sanidad que tenía y créame, me salió caro, salí de Egipto, pero una parte de la esclavitud caminaba conmigo, Dios puso a Canaán en mis narices, pero me costaba soltar un pasado lleno de dolor y sufrimiento, cauterizada por la conmiseración y dominada por las debilidades almáticas que me dejó el mundo, fui un puente por donde muchos cruzaron, pero detrás de la cortina derramé lágrimas de sangre pidiendo a gritos la intervención de Dios, pero de la única manera en la que Dios sanó y restauró, fue cuando reconocí mi condición, me humillé y decidí dejar que Él trabaje. En esa manera entendí que Dios no restaura a quien insiste en hacerse la víctima patrocinado por el orgullo, Él restaura a quien reconoce su condición y se aparta.

El iniciar una relación y no llegar a matrimonio me traumatizó, y todas esas grietas me llevaron a reconocer que estaba mal, si no ponía una pausa, más adelante esto podría ser la piedra que definitivamente me aplastara.

Por más sencilla que usted vea sus debilidades, no se duerma, no ignore las maquinaciones de satanás, no le abra paso para que le gane ventaja.

Le invito a autoanalizar la condición en la que se encuentra, caer no solo significa acostarse con alguien fuera del matrimonio, consumir pornografía, batallar con la homosexualidad, etc.

Cada vez que inicie una relación y esta le deje roto, debe detenerse y reconocer que terminó una relación, pero no aprendió lo suficiente y por esa misma razón ese pasado vuelve en un cuerpo diferente.

Entrelazarte con la persona incorrecta le echara agua negra a tu propósito, cada decepción te lleva a un cautiverio diferente, cada vez que le des paso a lo que no es de Dios, el resultado será un corazón enfermo, y no puede pasar por alto que satanás te golpeará y tratará de destruir exactamente en el área a donde Dios te usará con poder y gloria, pues su propósito es quitarle autoridad a donde Dios se la ha delegado.

1 Corintios 15:33 "No se dejen engañar; las malas compañías corrompen las buenas costumbres".

• **Cárceles, Puertas Abiertas**

La Palabra de Dios es muy clara cuando nos habla, y muchos escritores utilizaron un lenguaje literario para dejar plasmado un mensaje, el ser ignorantes nos puede llevar a consecuencias muy fuertes que pueden dejar como resultado perder lo que mucho costó construir y levantar. El escritor de este pasaje describe un mensaje claro y conciso que utilizaré como base para exponer este punto.

Eclesiastés 10:1: "Las moscas muertas hacen heder y dar mal olor al perfume del perfumista: así una pequeña locura al que es estimado como sabio y honorable".

Se ha preguntado por qué la iglesia solo conoce, más bien, reconoce como caída a lo que tiene que ver con lo sexual, pero obvia miles de actitudes que pueden llegar hasta ser peores. Conocemos que la fornicación es un pecado capital y de muerte, pero obviamos que la mentira, la doble vida, el egocentrismo, la falta de perdón, la promiscuidad, entre otros, también están incluidos en el paquete de pecados que dejan consecuencias muy graves.

La fama la consigue en segundos, actualmente tenemos una facilidad única de hacernos famosos, las redes sociales son una herramienta para ello, pero imaginemos por un momento que nada de lo que actualmente tenemos a nivel de tecnología existiera, y que la fama le llegara como resultado de horas de oración, integridad y respeto a lo sagrado, de un momento a otro cae sobre usted una gracia, la admiración de los terceros es su pan de cada día, miles se identifican con su mensaje, llega a una plaza comercial y todos quieren hacerse fotos, su agenda está llena, todos los fines de semana está subido en un avión, los medios de comunicación tienen su nombre en primera plana, pero nunca imaginó que un desliz provocado incluso por un momento de estrés, le costará perder todo lo que construyó a base de mucho sacrificio, un momento de placer que pronto será el epicentro de una vergüenza pública. El placer que se convierte en un trago de ácido, tres minutos envueltos en sábanas de pasión que próximamente se sabrá y le cerrará la agenda. De momento, el admirado, aplaudido, seguido, puesto en alta estima, es el centro de noticias, pero no necesariamente por un milagro o profecía que se cumplió, sino por un error, un solo error que le destruirá absolutamente todo, incluyendo su familia.

Imaginemos por un momento que no sea sexual, sino con temas de ámbito financiero, donde usted se vendió como un empresario, tiene bienes, fincas, jet privado, seguridad a su disposición, una cuenta de banco en dólares, mansiones, y todo lo que financieramente cualquiera quisiera tener, pero sale a la luz que el ungido es parte de una red de narcotráfico, lavado de activos y todo lo que tiene que ver con dinero sucio, un escándalo de primera a donde nadie dirá: "es un ser humano como cualquiera", está dentro de la lista de los que también pueden fallar, le aseguro que todo lo que salga concerniente a usted tendrá como tema: "el pastor narcotraficante". Usted fue un perfume de olor agradable y cálido, pero ahora que le cayó una mosca muerta, el olor agradable se convirtió en un hedor nauseabundo, el admirado ya nadie lo admira, más bien es la vergüenza que está poniendo en un hilo el testimonio y veracidad del evangelio, por él, miles que son íntegros alcanzan y les salpica el agua negra que salió de un irresponsable que no pudo dominarse y le faltó carácter para decir que no.

Como instrumento de honra en manos de Dios, hay una demanda que se me exige, esta está basada en una vida integra a donde nada inmoral me domine y tenga poder sobre mí, ejercer sacerdocio implica apartarse, pues no solo usted es un instrumento de honra, es el ente con el que una generación se identifica, si cae, miles caerán con usted. Al ungido se le exige una vida llena de santidad por la única y sencilla razón que promueve y por medio del cual el poder de Dios se hace visible, hay acciones que no deben ni nombrarse a donde se mencione su nombre, es luz, hay cosas que no encajan ni pertenecen a su diseño.

En guerra espiritual se utiliza un término muy conocido, las puertas abiertas están asociadas a las conductas en secreto que se cometen por un impulso y una falta de dominio propio ante las ofertas que giran en torno al acto próximo a cometer, por ejemplo: si tengo debilidades con el sexo opuesto, al momento que tengo la oportunidad de caer, si esa puerta no está cerrada con el poder del dominio propio caracterizado por un alto nivel de disciplina y autonomía, voy a ceder ante ella, pues emocional y mentalmente existe en mí una parte débil la cual no he sometido ni rendido ante Dios. Menciono y hago énfasis en la parte sexual porque es una de las cautividades más peligrosas y difíciles de salir, existen miles de creyentes que caen y luego su corazón se quiebra, se preguntan porque no pueden dominarse y obvian que el sexo es una puerta peligrosa, una vez le das legalidad en tu vida, no te será tan fácil romper y salir de las cautividades y opresiones que estas traerán a tu vida.

La inmoralidad sexual la Biblia la expone como pecado de muerte, conectarse sexualmente a otra persona representa no solo pasión y deseo, una parte de ti se quedará con esa gente y viceversa, la inmoralidad sexual no se vence reprendiendo, sino huyendo de ella.

1 Corintios 6:18: "Huid de la fornicación. Todo pecado que el hombre comete está fuera del cuerpo; más el que fornica, contra su propio cuerpo peca".

¿POR QUÉ LA FORNICACIÓN ES TAN EFECTIVA COMO ATAQUE?

Esta ha sido la pregunta que siempre me hago, y en cierto momento de mi vida, le preguntaba al Espíritu Santo cuál era el ataque más efectivo con el que las tinieblas pueden paralizar por años a un instrumento, aun siendo participe de las funciones ministeriales. Lamentablemente estamos en un tiempo donde el temor a Dios se ha perdido, lo sagrado está en segundo plano, y el altar está siendo administrado por burladores que persisten en su condición, pero carecen de valor y carácter para enfrentar con altura y madurez un error cometido (esto lo hablaremos en el próximo capítulo).

Cuando hablamos de fornicación, nos referimos a lo que tiene que ver con el contacto sexual fuera del matrimonio, pero la palabra fornicación, está asociada a la corrupción y comercialización sexual, es decir, la prostitución también forma parte de la definición en sí.

La palabra fornicación en griego es *pornéia*, que se asocia a "vender". La fornicación es depravación y desorden sexual, descontrol, falta de dominio, perversión, lujuria, concupiscencias y todo lo relacionado a las obras de la carne en cuanto a lo sexual se refiere. No necesariamente necesita consumar un acto para ser partícipe de la misma, usted puede tener una atadura con la lujuria sin tocar absolutamente a nadie.

"Pero yo os digo que cualquiera que mira a una mujer para codiciarla, ya adulteró con ella en su corazón".
Mateo 5:28

De todo lo que alimentamos nuestra mente, eso florecerá en nuestra conducta, y muchas veces la ignorancia al mundo que persiste en que en nosotros no brille la luz de Cristo, nos hace ajenos a que su ataque tarde que temprano se hará manifiesto.

Usted duerme y se descuida, las tinieblas no, usted golpea y ataca áreas de cautividad en los demás, ignorando que con ese mismo elemento puede terminar en mesa de juicio. *"No ignoremos las maquinaciones de nuestro adversario".* (2 Corintios 2:1)

· Descuido Y Abandono Del Altar: imaginemos por un momento una fuente que emana agua cristalina y pura para consumir, los demás solo consumen el agua, pero olvidan que para que la fuente pueda producirla tiene que alimentarse de otra, la cual hace posible su movimiento y eficacia; así es el hombre de Dios que ejerce una asignación divina.

La pasión y el primer amor es la etapa prematura del creyente, en ese espacio las horas de oración y ayuno son un deleite, su integridad es lo que prioriza y le apasiona vivir en la santidad que se le exige, pero de momento, el resultado de eso que sembró en silencio y detrás de las cortinas comienza a revelar frutos, le llega la manifestación de la promesa, comienza a moverse en escenarios, los niveles de manifestación son impresionantes, la revelación que le respalda no tiene competencias, tiene la semana cerrada con tantas prédicas que no posee tiempo siquiera para descanso.

Todo eso es bueno, pero recuerdo como ahora una imagen que me envió mi esposo cuando siquiera me pasaba por la cabeza que estaba a punto de entrar en una ola de fama que tocaría mi puerta, una oración del célebre predicador Charles Spurgeon: *"Los aplausos matan más que la persecución"*.

No existe un peligro más letal para un instrumento divino que el arrastre, la fama y los aplausos, no seamos hipócritas, a todos nos gusta ser aplaudidos, y eso está asociado a una parte que tenemos, ese ego natural que muchas veces es sano, su peligro es cuando nos gobierna y se convierte en una esencia dañina; también llamada ego, es necesario que se crucifique por la única y sencilla razón que, de no estar sometida, se convierte en nuestro peor enemigo.

Hay un momento donde ve tanto respaldo de Dios, que se le olvida que la fuente que da tiene que llenarse para seguir fluyendo, pero persiste en que tiene un llamado genuino y pierde la base fundamental que posee un ungido para representar el reino con altura: su relación con Dios.

Cuando esto sucede, de no despertar a tiempo, el desenlace será fatal, pues una desconexión con Dios temporal puede costarte una sepultura eterna.

Imagina a un Daniel sin oración, un José sin proceso y Cristo sin una relación con el Padre, sostenerse y continuar trayendo a manifestación de lo divino a lo visible sería imposible.

Abandonar el altar, dejar a un lado nuestra vida devocional, sustituir nuestro tiempo de secreto con palabrerías, todo esto va generando un descuido que más adelante puede salir muy caro, toda fuente que da necesita alimentarse, a menos que esta no sea ficticia y simplemente simule ser lo que no es.

Deuteronomio 32:18: *"Despreciaste al Dios que te engendró, y olvidaste al Dios que te dio a luz".*

Capítulo 4

ENFRÉNTELO CON CARÁCTER

> *Si cortas un árbol y le dejas las raíces, no pasará mucho tiempo sin que este vuelva a reproducirse; así es el pecado que no se confronta con altura y madurez.*

Por lo general, cuando hablamos de carácter se suele asociar esta palabra con las personas impetuosas, iracundas y generalmente de temperamento colérico. No obstante, cuando hablamos de carácter no se habla de subir la voz y gesticular de manera intimidante. El carácter es un conjunto de cualidades y rasgos que definen la naturaleza propia de cada individuo, ahora bien, en cuanto al carácter de Cristo en nosotros, por medio de un proceso paulatino y de manera progresiva vamos acercándonos a esa perfección y capacidad de manejo que solo el Espíritu Santo deposita en nosotros.

Existe una esencia muy admirable y cabe destacar que muy escasa en nosotros los seres humanos, y aunque está en nuestra naturaleza, muy pocos se atreven a hacer uso de ella, es la osadía o la valentía de enfrentarnos a situaciones difíciles y persistir hasta las últimas consecuencias. La capacidad de internamente evaluar lo que podría pasar si lo enfrentamos, pero, no dejarnos vencer ni paralizar por el miedo que de manera natural se manifiesta como alerta, las personas osadas dan la cara, aceptan sus debilidades y no solo eso, le permiten a un tercero ser un medio para restaurarse.

En la introducción hice mención de un caso, si pudiera decir el reto más impactante que me tocó como pastora, a pesar del error cometido por aquel estimado y apreciado hijo de la casa, una de las escenas más impresionante fue cuando me atreví a confrontar directamente lo que ya sabía, pero de todos modos necesitaba escuchar qué me iba a decir, enfrentarme a este hombre y decirle en su cara que lo sometería al tribunal de menores, manifestarle abiertamente que estaba al tanto de su error, muy dentro temblaba de miedo, pero recuerdo que a pesar de eso, continué la marcha porque estaba segura que todo era un plan de Dios para restaurar la vida de este hombre que aunque reía, ese capítulo lo estaba consumiendo, sus ojos me miraron fijamente, bajó la cabeza y me dijo: *"Si, lo hice y estoy dispuesto a enfrentar las consecuencias de mis actos".*

DOLOR COMO INSTRUMENTO DE RESTAURACIÓN

Después de confrontar a nuestro hermano Juan, quedamos en el acuerdo de que comunicaría a sus hijas lo sucedido, y que a primeras horas de la mañana le llevaría al departamento de investigación, presentaría una querella en su contra y me encargaría de buscar todas las pruebas que certificaran lo que descubrí como su líder.

No, no es cómodo, parece una película dónde me miran como la heroína, pero internamente me sentía muy mal, ver a sus hijas llorar y una de ellas decirme: "por favor, pastora le pido que no permita que lo maltraten", lágrimas en sus ojos y la vergüenza de aquel ser humano que sabía que había cometido un error que por años estuvo oculto pero le llegó el momento de enfrentarlo. Luego de una larga investigación donde como su pastora me involucré, las autoridades llegaron a la conclusión de que existían rastros y evidencias suficiente para someterle a la cárcel, un mes aproximadamente, su sentencia fue de 15 años.

La comunidad hasta ahora me respeta, los padres confiaban en mí con sus niñas como a nadie, mi nombre se extendió en la zona, pero esto me costó la salida de un grupo de la iglesia y escuchar consecutivamente: ¡por eso no creo en cristianos ¡Muchas lágrimas y una ola de tristeza se sentía, pero mi papel como pastora no era taparle su falta, sino enfrentarme a esta situación con altura, aunque esto representara que la iglesia se quedara vacía! La iglesia no era mía, por lo tanto, quien la levantó se encargaría de sustentarla y así lo hizo. Pasaron dos años aproximadamente, y meditando en mi casa, una profunda tristeza por Juan arropó mi corazón, me preguntaba a mí misma que quizás fui muy dura con él, me sentía culpable porque estaba en aquel lugar adonde no podía disfrutar de sus hijos, libertad, etc. Suena una notificación, y reviso mi carpeta de solicitud de mensajería, ¡impresionante!, era Juan, luego de un saludo, me dijo las palabras que jamás en mi vida olvidaré:

-Hola mi pastora, espero se encuentre bien.
-Hola Juan. Bendiciones, espero usted también esté bien, pero aprovecho esta oportunidad para pedirle perdón, si fui muy dura con usted le pido de verdad que me perdone.
-No ¡Pastora! Todo lo contrario, le agradezco a

Dios por su vida, por su valentía y carácter de enfrentarme, aunque usted no lo crea llevaba años con ese capítulo de mi vida que no me dejaba ser feliz, tenía una debilidad, pero después de Dios, aunque estoy entre cuatro paredes pagando las consecuencias de mis actos, mi alma está libre, siempre le estaré agradecido.

Este caso me dio una tremenda lección, la humildad y la sencillez de reconocer nuestras fallas generan un impacto tan grande que la ley terrenal reduce condenas cuando el individuo le da un giro a su comportamiento, espiritualmente nosotros alcanzamos misericordia cuando reconocemos y decidimos asumir con altura nuestros hechos.

Proverbios 18:13 dice: *"Quien encubre su pecado jamás prosperará; quien lo confiesa y lo deja, halla perdón". (NVI)*

En este pasaje hay dos palabras a resaltar: encubrir y prosperar. Satar es la palabra asociada al hebreo que significa: "encubrir, ocultar, esconder, abrigar". Encubrir es también sinónimo de solapar y disfrazar. De manera que quien oculta, es decir encubre una falta, en cierto sentido se estanca y se paraliza, por eso no prospera.

La palabra prosperar es la idea del éxito de todo individuo, crecer, multiplicarse, expandirse, la integridad deja como fruto prosperidad, y esta, no está asociada a lo material. Permanecer con un pecado oculto es sentenciarse a una temporada de inseguridad y falta de paz, que solo se rompe cuando confesamos, todo esto trae una prosperidad interna y a nivel mental, característica que quien encubre no conoce, pues la prosperidad de mayor peso es el gobierno de sí mismo.

Dar la cara por nuestros actos siempre traerán refugio en Dios y alivio interno, el miedo a ser descubiertos desaparece una vez nos liberamos de la culpa y el temor, las mismas emociones que no nos permiten confesar. Niéguese a vivir en una vida de esclavitud, enfrenta con altura el peso de las consecuencias de tus actos.

Si analizamos detenidamente, satanás es experto en atacar la identidad, la certificación legal que tenemos en la tierra es simbólicamente lo que también nos da peso en sentido espiritual. En República Dominicana existe un permiso legal que nos permite trabajar, pero no es lo suficiente para darnos entrada a ciertos lugares, ya que dentro del sistema legal ser menor de edad es un riesgo y de verse atentado, se paga con sentencia penal. De esta misma manera nosotros tenemos niveles de madurez que se desarrollan con el tiempo, y cada vez que usted escale uno nuevo, los desafíos serán a la misma altura.

Mateo 4: 3 *"El tentador se le acercó y le propuso: Si eres*
hijo de Dios, ordena a estas piedras
que se conviertan en pan".

Los hijos tienen el objetivo de agradar a su línea paternal, los bastardos les gobierna su rebeldía, pues su diseño ilegítimo hace contrapeso a la honra que llevan los hijos de pacto, por lo tanto; el hijo que desea agradar a su padre, conoce de antemano lo que puede llevarle a perder de manera momentánea los beneficios que por ser hijo legítimo le pertenece, en el caso de un creyente, cabe resaltar que no hablamos específicamente de riquezas terrenales, sino, que hacemos referencia a todo lo relacionado con el reino y respaldo divino.

Que dentro de todo aquello que pueda perder, el respaldo de Dios no forme parte de su lista, nunca juegue con el favor y la gracia divina.

Capítulo 5

DUELE, PERO ES NECESARIO

Considerarme muy santo para caer, es el
pecado con mayor peso de ignorancia; de
cometer un error, nadie se escapa.

En el 2014 tenía una pesadilla que en el año llegué a experimentarla aproximadamente dos veces, me soñaba en medio de un proceso muy doloroso, y veía en mi cuerpo heridas que sangraban y dolían, pero nada pudo compararse a la experiencia de tener una revelación que la sentí físicamente. En una visión, vi un animal feroz como especie de un puma, me agredió de manera tan violenta que con sus garras abrió las plantas de mis pies y paralizó mi movimiento.

Estoy segura de que hay escenarios que antes de que sucedan de una forma u otra, Dios nos pone en alerta, en una de esas experiencias vi como una mujer atada de brazos (esquizofrénica) me dijo en tono de burla y rabia a la vez: "conozco tu debilidad, sé por dónde voy a destruirte". Desde ese episodio, siempre me mantuve alerta, pero aprendí que las debilidades nunca vendrán cuando estás fortalecido, si analizamos el texto, satanás atacó a Jesús con alimentos porque tenía hambre, esto nos deja un principio, existen tentaciones por necesidad y por concupiscencia , la de Jesús fue en un momento preciso, pero pudo resistir y responder con altura porque en Él no había pecado y su espíritu estaba fortalecido, diferente a las tentaciones que son evidencias de áreas cautivas, estas se manifestaran en una temporada exacta de tu vida, precisamente cuando tu espíritu está seco y vacío.

Pasaron los años y la desgracia tocó mi puerta cuando menos lo estaba esperando, antes de continuar con mi testimonio, le reitero una cosa: el testimonio tiene poder, más de lo que usted se imagina, superar una situación difícil y aprender de ella, delega sobre usted un peso de autoridad diferente, y me da mucha pena que el liderazgo de hoy día carece de sinceridad, le tiene miedo a decir que en algún momento de su vida flaqueó, que no todo el tiempo actuó con madurez. Abriendo nuestro corazón y siendo sinceros, esta generación aprenderá a vernos como un simple instrumento, y no como dioses, aquí nadie ha sido tan puro e íntegro, de una forma u otra todos hemos cometido errores, obviamente uno más graves que otros.

En un momento clave, de mucho crecimiento, auge, afiches de actividades, y todo lo que se considera como crecimiento, pudiera decir que una temporada donde mi deleite era guardarme y hacer las cosas con orden, precisamente ahí, un período muy duro le dio inicio a una temporada de parálisis, tal y como lo vi en mis sueños.

LO PERDÍ TODO

Toda mujer sueña con establecer una relación tipo Disney, donde las palabras y escenas románticas se dejan sentir por doquier, pero ese tipo de relaciones es un estilo de fantasía que sólo existe en cuentos, recordemos que los cuentos son historias creadas de la imaginación, no tienen veracidad, es una fantasía total.

Abrir mi corazón después de ciertas decepciones en el mundo, para mí representaba una pesadilla dar una oportunidad, pues continuaba viendo la cara de mi ex en todos los hombres, y en cierto sentido, ese mecanismo me sirvió de mucho, pues muchas veces me libré de depredadores y manipuladores que se disfrazaban, pero al ver en mí una mujer tan amargada, se alejaban sin imaginar que alguien, a quien con todo mi corazón deseo que Dios restaure por completo, independientemente de todo, el merece al igual que yo una oportunidad de testificar y aprender lo que también aprendí, aquí no hay culpables, no se delega sobre una sola persona la responsabilidad de un mal acto, ambos tienen el grado que le compete enfrentar y superar sin la necesidad de hundir a otros; actuar de esa manera nos hace egoístas e inmaduros.

Después de un tiempo, en un suspiro, desperté, abrí los ojos y lo que soñé, sucedió, cometí el error más grande de mi vida, una temporada de mucha presión y necesidad de ser escuchada y sentirme acogida por alguien, ese fue el queso envenenado con que se preparó la trampa. Siempre le digo a las chicas que le doy consejería que las mujeres lamentablemente expresamos y actuamos de una manera en automático, y sin darnos cuenta ponemos en manos de un hombre las herramientas para destruirnos, dar demasiada información a alguien que por lo menos no has tratado por un periodo prudente, puede llevarte a enfrentar un episodio muy doloroso, la decepción y la deshonra duelen, que se caiga tu mundo en miles de pedazos, que esa fantasía muestre la real pesadilla, es lo más doloroso que puede pasarte y levantarte de ahí, es una hazaña que solo logra cuando prefiere perder todo, pero no a Dios.

Exceder los límites, tocar puertas que no deben ser tocadas, dejarán dolor y trauma como resultado. En medio de una tentación, no tuve el carácter exacto, crucé la línea que jamás debí cruzar, y esto me enseñó que muchas nos creemos lo suficientemente fuertes y terminamos jugando a no perder, en medio de situaciones carnales. Sabiduría es saber a dónde correr y no quedarse expuesto creyéndonos lo suficientemente fuertes, en escenarios como estos si no se actúa con sabiduría y prudencia, podemos terminar sepultándonos por una larga temporada.

Relatar esto parece un cuento, pero no, es una realidad que me enseñó todo lo que tengo plasmado en este libro, la intención es advertirle a usted que cinco minutos de placer, le puede costar años para repararse, y al mismo tiempo experimentar el nivel de cautividad más traumatizante, pero ante una situación como esta, la justificación no vale, el único paso a la libertad es la confesión y dar la cara.

Si le digo que callar y justificarme no pasó por mi cabeza, le estoy mintiendo, pero sabía que buscar un culpable no resolvería nada, salir de la escena como la víctima, menos, cometí un error, y me tocaba dar la cara, lo que yo prediqué acerca del orden y ser responsable, me fue puesto a prueba y sabía que, de no dar la cara, perdería más de lo que en ese momento perdí.

Posiblemente podía crear las herramientas perfectas para quedarme callada, pero reuní cabos sueltos y llegué a la conclusión que callar no era lo más sabio, quedarme con esa simiente de pecado terminaría paralizando mi mover y jamás podría llegar a ser la misma. Podía fingir en el altar, sabía que Dios seguiría respaldándome, pero, fuera del púlpito, volvería a mi posición de esclava de un sentimiento de culpa que me estaba matando, por lo que me aconsejé a mí misma, me llené de valor y acepté que era el momento de enfrentarme a lo que un día era solo una pesadilla.

Las lágrimas descendían por mis mejillas, torrenciales de sentimientos y emociones salían combinadas con el sabor amargo de la desesperación, con una toalla secaba mi rostro. ¡Qué dolor tan intenso sentí al saber que la había fallado a Dios!, pero aparte del dolor de la falla, el saber e imaginar lo que se me aproximaba, era exactamente lo que me consumía, era una pesadilla de la que solo quería despertar, no aceptaba el saber que fallé. En esos momentos no sentía apoyo humano de absolutamente nadie, la intensidad de ese grito de angustia acompañados de pensamientos suicidas, era lo que me estaba casi ganando, todas las noches me preguntaba: ¿Qué será de mí?, ¿Cómo explico esto a mis padres?, ¿Qué pasará con mi posición ministerial?, ¿Qué dirá la gente cuando se entere? Créame cuando le digo que las consecuencias matan más rápido que el pecado, sentirse oprimido contra la pared, querer hablar y sentir como el miedo te paraliza, me dolía el alma, me abrazaba a mi almohada y le pedía a Dios entre lágrimas que me perdonara, que me dolía demasiado haberle fallado, no me perdonaba que perdí la cabeza como una niña y fui demasiado ingenua, no aceptaba que le fallé a Dios por segundos de placer, pero aun en ese trance, sentía a Dios ministrando mi corazón con una sola palabra: "No te estanques en ese capítulo, enfréntalo, no podrás con esto tu sola".

Mirar lo que tanto esfuerzo me costó, ver cómo se desmoronó todo, cada vez que observaba atrás mi corazón se arrugaba, y las voces en mi cabeza de salir corriendo, me estaba volviendo loca, entre en un cuadro depresivo, mucha ansiedad, trataba de calmarme con pastillas para dormir, pero nada funcionaba, nada me dio la paz que me dio el día que di la cara por lo que hice.

EL DESAFÍO DE CONFESAR

Culpa, miedo, vergüenza; una combinación explosiva de emociones, sentí por un momento lo que sintió Adán cuando estaba en el huerto, y aunque me escondí al igual que él, solo pude estar oculta por unos días que tomé para un espacio de ayuno y oración, el mismo que me sirvió como base para tener las fuerzas de poder enfrentarme a este episodio que me dejaría una marca de por vida. Si, ya Dios me había perdonado, pero me quedaba el acto por el que más adelante me sentí en paz por haberlo hecho, mi tranquilidad retornó a mi corazón y la carga de la culpa se fue justo en el momento que lo hice.

A las 9:00 am, me cambiaba de ropa para tener una reunión, a pesar de estar desgastada físicamente, y mi rostro no disimulaba mi tristeza, sabía que ese día marcaría un antes y un después en mi vida, el día que me atreví a mirar a mi superior a la cara y decirle: "cometí un error, lo siento, fallé". El silencio inundó aquel lugar, un suspiro de preocupación y decepción emanaron, mis lágrimas comenzaron a caer, la reprensión y sus palabras dolían como cuchillo que penetraba mi alma, pero entendía que era difícil de asimilar lo que me había pasado, quería salir corriendo, pero me sostuve en Dios, y unos brazos cubrieron mi espalda, el abrazo de una madre que en lágrimas me dijo: "me duele mi niña lo que te está pasando, pero tranquila, no te voy a dejar sola".

Pasado las 12:00 am estaba encerrada llorando por más de dos horas, mis pensamientos no eran buenos y nuevamente estaban esas ministraciones negativas en mi cabeza, por lo que acudí a llamar a una amiga que fue como un ángel en mi camino, le pedí a gritos que fuera por mí, le supliqué que no me dejara salir de aquel lugar sola, pues los pensamientos que tenía en mi cabeza era tirarme en medio de la pista, desaparecerme, la culpa y la vergüenza me estaban matando, no podía siquiera levantar mi cabeza, pero no dejaba de clamar a Dios. ¡Señor me duele, pero tú sabrás lo que estás haciendo conmigo! ¡No me sueltes!

PRIMERO DIOS QUE TUS SEGUIDORES

Cuando la fama es parte de nosotros, es precisamente ahí que estamos en mayor escala de peligro, la altivez de mantener un nombre suele ser el desafío interno más intenso y a la vez traicionero, permanecer intachable ante los hombres no vale de nada cuando delante de Dios nuestra vestidura tiene una mancha, el ego de no perder aplausos y aceptación nos cautiva a tal manera, que terminamos sustituyendo a Dios por nuestros seguidores, preferimos perder nuestra paz y vivir en la mentira profesando una perfección que no tenemos.

Vivir esta situación, sentir el dolor de saber que por un tiempo necesitaba sentarme, que lo más sano para mí era detenerme. Sabía que las críticas y comentarios lloverían, cada vez que se me extendía una invitación y decía que no, para mí era una dosis de decepción interna, pues mi proceso más largo fue perdonarme a mí misma, no podía aceptar que estaba en ese capítulo. Me costó un espacio de aproximadamente cinco meses para que mi corazón y mi mente aceptaran la realidad, y fue desde entonces cuando levanté mi cabeza y decidí creer que detrás de todo esto existía una gran enseñanza, que no sería en vano lo que estaba viviendo. Aquí está la evidencia, por ella misma estoy frente a una pantalla redactando este testimonio, la finalidad del mismo es traer un despertar y darle una palabra a la generación que me va a leer, cometemos errores, pero el resultado puede variar dependiendo de la actitud que tenemos, la humildad de reconocer y dejar de buscar culpables te posiciona en un nivel de madurez y es evidencia de un carácter el cual Dios trabajó por medio del dolor.

En medio de este proceso descubrí mi gigante más agresivo, el cual tuve que someter y Dios lo trabajó por medio de muchas experiencias extremadamente dolorosas, pero estas, me hicieron reconocer a niveles mayores que todo lo que yo soy, no era por mi causa, sino la gracia de Dios en mí, perderlo todo y reducir a cero me llevaron al punto más humilde de mi vida, aprendí que hoy estás en la cima, pero mañana todo ese escenario puede caer, y los más hermoso, quien siempre ha sido puro, honesto, real, misericordioso y mi sustento eterno, se quedó conmigo: Dios estuvo cuando la fama, las reproducciones, amistades, líderes y "conexiones" me dieron la espalda, se quedó personificado en hombres y mujeres que hoy, mañana y siempre agradeceré de tenerles en mi vida, ellos no solo estuvieron en mi proceso, también me enseñaron el nivel de manejo que se debe tener ante situaciones tan difíciles como estas, las mismas se complican y son más intensas cuando se trata de una figura pública que de cierta manera goza de admiración y respeto. El tacto y la prudencia, la mejor y más efectiva herramienta de los restauradores.

EL ERROR DE NO PONER ATENCIÓN ANTE LAS GRIETAS EN NUESTRO CARÁCTER

¿En algún momento se ha detenido a observar la astucia y la sabiduría de la araña? Si usted limpia de manera general y descubre todas las telas de arañas pegadas en la pared y las remueve sin matar la araña que la teje, vuelva al próximo día y encontrará la evidencia de un territorio marcado por quien gobierna la zona; así operan las debilidades caracterizadas por una grieta en el carácter y la falta de madurez en una área específica de nuestra vida, si usted no enfrenta el primer episodio con todos los pormenores, puede asegurar que un tiempo no muy lejano volverá a enfrentarse al mismo escenario y esta vez le golpeará más fuerte, esta es la clara evidencia que todavía no aprende y las lecciones se repiten hasta que se pase el examen. La araña más pequeña e insignificante, construye en el palacio más grande, no se deje gobernar por la ignorancia, lo que usted considera que no debe trabajar, puede darle una sorpresa cuando usted menos lo imagine.

Pasaremos toda una vida eliminando telas de araña que de tiempo en tiempo se volverán a reproducir; obviando en sí que el problema no es el efecto, sino la causa. Identifica la araña y mátela-

La semilla de la decepción se reproduce en dolor, impotencia y rabia que genera el duelo por separación, es una de las marcas más difíciles de superar, por eso está en la lista del duelo, ya sea por divorcio, unión libre, etcétera, y como iglesia, pasamos muy desapercibidos en esta parte y lamentablemente le dejamos a Dios y al tiempo un trabajo que nos compete a nosotros. Por experiencia propia y como consejera que soy, siempre aconsejo detenerse un tiempo y buscar todos los medios necesarios para sanar y cerrar un capítulo, de no prestar atención a esto, con el tiempo veremos a un ser que puede ser muy efectivo en el ministerio, pero a nivel sentimental tiene un desorden, nada asociado a la promiscuidad, sino a patrones repetitivos que tienen base en una herida que no está sana, pero son temas de menos importancia entre nosotros y lamentablemente esto es parte de la situación interna con la que la iglesia está batallando hoy día, principalmente con los jóvenes, muchos ejercen el llamado, pero vienen de un pasado muy marcado y por lo general, este tipo de situaciones internas no se ven en el altar, pero se convierten en un peligro y amenaza en la vida de quien lo posee.

En mi caso retorné a la iglesia muy lacerada por marcas intrafamiliares, una relación de pareja a muy temprana edad, fui víctima de maltrato psicológico, pero nunca me detuve a trabajar esa parte pues entendía que no tenía relevancia. Seis años después, ese capítulo no resuelto se convirtió en mi mayor gigante, de esto aprendí que la oración y el ayuno tienen poder, pero hay temas específicos que no se le dejan a las prácticas que tienen como finalidad purificar y acercar a Dios, de no trabajar sabiamente en usted, lamento decirle que batallará con muchas cosas las cuales le generan confusión, pues es posible que minutos después de salir de un ayuno, caiga en pecado, esto le traerá preguntas, evaluará si su ejercicio fue aceptado o tuvo efecto. Todo lo contrario; el caer después del ayuno le está dando una alarma, necesita detenerse y sopesar qué exactamente está pasando con usted de manera interna, tómelo como el favor de Dios revelando que necesita intervención, no se amedrente ni se aparte de Dios por eso, mientras desee parecerse a Cristo, más expuesto quedará su viejo hombre, la intención es sepultarlo y que usted alcance la cabalidad que se le exige por el peso de liderazgo que carga. Diversas situaciones traen niveles mayores de madurez y crecimiento.

Santiago 1:4 *"Y la constancia debe llevar a feliz término la obra, para que sean perfectos e íntegros, sin que les falte nada". (NVI)*

Deje que se exponga aquello con lo que sabe que no puede lidiar, es la voz y favor de su Señor exponiéndole, no para vergüenza, todo lo contrario, por medio de esto, se revela como un Padre que le ama por encima de ellas y está demandando que corrija todo lo que le daña.

Capítulo 6

EL MISTERIO DE SER RESTAURADO

Todo aquello que ha sido quebrado, necesita la intervención de un Dios restaurador que ve más allá de las ruinas.

La restauración es la esencia y evidencia más poderosa revelada en el Nuevo Testamento, es intervención de la gracias patrocinada y teniendo como base la muerte del Mesías, todo lo que Adán perdió en el huerto por el pecado, Cristo lo retorna en la cruz exponiendo los decretos y sentencias, exhibiéndolos públicamente, dejándonos libres de culpa y sentencia de muerte por el pecado.

Colosenses 2:15 (NVI): "Desarmó a los poderes y las potestades, y por medio de Cristo los humilló en público al exhibirlos en su desfile triunfal".

Lo sucedido en el momento que Cristo es crucificado y entrega el espíritu, es un episodio lleno de misterio, autoridad y esperanza, Jesús emitió la sentencia sobre las tinieblas que nos dejó libre de la esclavitud.

En Israel se tenía la costumbre de emitir una palabra al momento de la compra de un esclavo, la misma palabra se registra en el libro de Juan 19:30 (NVI): "*Al probar Jesús el vinagre, dijo: todo se ha cumplido. Luego inclinó la cabeza y entregó el espíritu*". En la versión popular, el texto utilizado dice: "consumado es". Esta palabra en griego es *Tetelestai*, "terminado", la palabra se emitía cuando se le ponía sello al esclavo y pasaba a manos de otro amo.

La muerte y resurrección del Mesías no fue un acto común, el día de su muerte se abrió el espacio entre la ley y la gracia, simbología misma de la restauración y restitución; no hubiese existido manera de ser restaurados y restituidos sin la intervención de Jesús al entregarse como sacrificio vivo y como ofrenda de reemisión de pecado. Esta es la razón por la que tenemos acceso a restaurarnos y ser partícipe de la gracia, no obstante, debemos reconocer y respetar la línea que existe en este principio y no tomar la gracia como licencia para pecar.

Romanos 6:15: *"Entonces, ¿qué? ¿Vamos a pecar porque no estamos ya bajo la ley sino bajo la gracia lDe ninguna manera!"*

La gracia no es la excusa para vivir en desorden, más bien es el motivo de agradecimiento para no quebrar y tener en vano el efecto de esta en nosotros. Para ser partícipes de la restauración es necesario conocer bíblicamente a un Dios de oportunidades que opera en justicia y que del caos puede hacer arte, por lo tanto, quien no conoce al Dios de gracia, carece de la capacidad de reparar a otros.

La restauración es un misterio que una vez lo conoces, produce un cambio desde lo interior hasta lo externo. Cabe destacar que cuando no tratamos un área, la empatía se torna un poco complicada y por esta razón muchas veces llegamos a ser muy duros y tajantes con quien se presenta en medio de una situación como esta, y al no manejar el tema por falta de revelación o vivencia terminamos empeorando la situación; de esta manera llegamos a la conclusión de si usted no puede conducir un caso, lo más factible es que permanezca en silencio y limítese a apoyar, orar, y ser compañía, haciendo uso de la prudencia y silencio.

Dentro de los designios de Dios para nuestras vidas, experimentar la frustración del pecado no es parte de su plan, pero una vez conoce lo que es quebrarse en miles de pedazos, desarrollará el nivel de prudencia que como hijo necesita. Las caídas no son más que el resultado de áreas no resueltas y debilidad momentánea, todo esto compone parte de nuestra naturaleza caída, pero al mismo tiempo nos lleva a reflexionar y aprender lo suficiente para no repetirlo.

DESARROLLA EMPATÍA

Por lo general, yo tomo experiencias ajenas para no cometer los mismos errores; pero no puedo dejar de resaltar que actualmente como iglesia hemos perdido la línea de revelar la compasión con la que Cristo predicó y confrontó, Jesús no tapaba pecados, los enfrentaba y al mismo tiempo daba una salida, a la mujer adúltera no solo la libró de las burlas y el dedo acusador, al final selló su defensa con la palabra que debe darse a todo aquel que se encuentre en una situación similar vete y no peques más, pero la realidad actual es otra. El porcentaje de pecados ocultos no es solo por falta de arrepentimiento, sino por la falta de madurez que se tiene al escuchar el error de los demás; una vez tiene la experiencia y conocimiento del favor de Dios con usted, no aprende nada más que ser una luz en medio del túnel de otros. Aunque aclaro, no hay que pecar para tener legalidad de reparar a quien está lacerado por el pecado, basta con conocer la gracia y favor de Dios y que por medio de usted se revele.

MAYORDOMÍA Y LIBERTAD

Dentro de todos los niveles de un hombre de Dios, el más elevado es cuando este aprende a dominarse a sí mismo, sentir sin dejarse arrastrar y tener la capacidad de doblegar hasta el más oscuro de sus pensamientos negativos y contrarios a su diseño, la madurez se alcanza a medida que experimentamos situaciones que exponen nuestras debilidades, a medida de que usted falla, no puede atribuir a una fuerza negativa su responsabilidad ni llamarle ataque al efecto que dejó la causa, sea lo suficientemente maduro y humilde para reconocer. Eso es un fruto de la mayordomía restaurada.

APRENDE A NO CONFUNDIR EMPATÍA CON CUBRIR ERRORES

Las amistades que se atreven a confrontarle y corregirle son dignas de llamarse bendición; tapar con la intención de "cuidarme" no es el proceder de quien realmente te ama.

Quien conoce el poder y la unción restauradora le muestra a los demás el misterio experimentado, es decir: ser restaurado de manera completa, no le permite dejar que los demás se hundan en la cárcel del silencio y la culpa que mata, el carácter que se adquiere en este proceso no le deja alcahuetear situaciones contraproducentes a lo que aprendió, todo lo contrario, apoya y acompaña pero, permanece bajo el principio fundamental que necesita un creyente para repararse por completo; confesión y un tiempo prudente de pausa, no para lo demás, sino para sí mismo.

El pecado lacera y oprime, y cada ministro que pasa por esta situación debe saber que un tiempo fuera de función no significa derrota, es de sabios poder discernir cuando no estoy lo suficientemente equilibrado para ministrar a otros.

Natán amonestó a David, y sabía que confrontarlo podría inclusive ser una sentencia de muerte, pero esto no le impidió hacerlo y que este reconociera su mal proceder. Natán no hizo liga de conexiones y amistad, lo confrontó y punto, conste, el pecado de David, dicen los estudiosos, que su pecado no fue acostarse con Betsabé, ya que cuando un soldado iba a la guerra firmaba un papel donde dejaba a su esposa libre, era posible que el soldado no retornara vivo, el pecado de David estuvo más en la maquinación y que lo mantuvo oculto. Sin dejar de aclarar que Dios no confrontó a David por temas de costumbres en cuanto asistir a una guerra, directamente le confrontó por codiciar y dormir con Betsabé.

2 Samuel 12:8-12: Te di el palacio de tu amo, y puse sus mujeres en tus brazos. También te permití gobernar a Israel y a Judá. Y por si esto hubiera sido poco, te habría dado mucho más. ¿Por qué, entonces, despreciaste la palabra del Señor haciendo lo que me desagrada? ¡asesinaste a Urías el hitita para apoderarte de su esposa¡lo mataste con la espada de los amonitas¡Por eso la espada jamás se apartará de tu familia, pues me despreciaste al tomar la esposa de Urías el hitita para hacerla tu mujer. Pues bien, así dice el Señor: "Yo haré que el desastre que mereces surja de tu propia familia, y ante tus propios ojos tomaré tus mujeres y se las daré a otro, el cual se acostara con ella en pleno día. Lo que tu hiciste a escondidas, yo lo haré a plena luz, a la vista de todo Israel.

Aunque David reconoció su pecado, él mismo le dejó consecuencias, muy similar fue el caso con Adán, el no dar la cara por nuestros actos es un suceso que nos dejará marcas, la cobardía de no confesar se paga caro, sin dejar de resaltar que misericordia no es ausencia de consecuencias.

Después del pecado de David, su familia fue un caos, sus hijos y todo lo que este tenía era evidencia viva de desastre y mala administración de mayordomía familiar, desde una óptica espiritual la deshonra de Tamar, la sublevación de Absalón y todo lo malo que los hijos de David hicieron, le recordaban a David el error que cometió y como sus consecuencias día tras día se hacían visibles.

> *La amonestación es miel en labios de los sabios, el regalo más hermoso de un ungido es un mentor que le llame a capítulo, amar no es patrocinar desorden.*

Frente a una situación desafiante, los falsos pensaran en que mantengas tú nombre, pero los reales pensaran en ti, hay un momento donde la paz no se puede poner por debajo de la fama; el hombre de Dios debe perder el deseo de ser aceptado todo el tiempo, Jesús predicó un mensaje cargado de revelación, milagros y prodigios, sin embargo, los escribas y fariseos buscaban ocasión para tentarle, un porcentaje muy elevado le rechazó y no aceptó su mensaje, como instrumentos en manos de Dios no estamos llamados a ser estrellas de Hollywood, sino ejemplo que predicamos con el testimonio, cuando este está en juego, todo lo demás tambalea. Rodéese de personas que le amen tanto, que sean capaces de sentarte con el único objetivo de salvarle, no confunda empatía con falta de corrección.

APRENDE A PERDONAR

"Pero ahora, por favor no se aflijan más ni se reprochen el haberme vendido, pues en realidad fue Dios quien me mandó delante de ustedes para salvar vidas".
Génesis 45:5 (NVI)

De todas las historias que se utilizan como un mensaje directo al egocentrismo, la de José en el palacio es la más resaltada, ahora bien, es un relato hermoso con un final que todos esperamos tener, pero si analizamos bien la historia, hay una parte que pocos predicamos. El poder del perdón.

> *De nada le sirve llegar al palacio y sentarte en mesa de reyes, cuando su corazón está podrido y lleno de rencor con aquellos que le hicieron daño; perdona y déjelos libres de la cárcel de su alma.*

José atravesó un camino extenso y bastante doloroso, el rechazo fue su cuna y cayó en la cárcel por el capricho de una despechada, pero la persistencia de creer en los sueños de Dios en su vida, le ayudaron a continuar hasta el cumplimiento de este, pero al momento de la manifestación, el día más duro y desafiante de José fue chocar frente a frente con aquellos que siendo él inocente lo vendieron y no le tuvieron compasión. El celo, la envidia y las maquinaciones negativas de sus hermanos pudo más que la línea sanguínea que les corría por sus venas, pero, dentro de todo esto existía un plan divino de preparación y una hermosa enseñanza, sin dejar de resaltar que José es prototipo de Cristo.

Era muy obvio que José estaba viviendo una promesa, pero no tenía paz, aun le faltaba un escalón por subir, el perdón a sus opresores y sentarlos en la mesa con él, sin rencor y sin intenciones de humillarles para demostrar que era mejor que ellos. Atravesar un fuerte proceso emocional como el de José, nos lleva a ciertos puntos de impotencia y que como humanos queremos ejecutar justicia, siendo gobernador podía matarlos, al igual que Cristo en medio de su crucifixión, pero no lo hizo.

Poder es saber cómo hundir y destruir a alguien y por encima de eso, decidir no hacerlo. El propósito de José se manifestó de manera plena cuando perdonó a sus opresores y entendió que esto era para glorificar a Dios y ser una respuesta en medio de la crisis que para un tiempo determinado necesitaría lo aprendido en el proceso. Por lo general, luego de pasar un proceso tan agresivo como lo es la restauración, quedan ciertas secuelas de resentimientos con aquellos que por el error cometido abandonaron y usted pensó que serían los primeros en apoyarle y levantarle.

Es normal sentir impotencia, peor aún si la persona que menos imagina termina siendo su verdugo, cuando una autoridad que está llamada a repararle le da la espalda, la decepción y el sentimiento de abandono son un trago muy amargo, pero con el tiempo aprende y entiende que aunque su actitud no fue sabia, detrás de eso existe una enseñanza, doblegar su orgullo y quitarse toda dependencia humana, suplanta la rabia y la impotencia por agradecimiento de aquellos que sí creyeron y tomaron cada pedazo de suyo y con paciencia y sabiduría le demostraron que Dios nunca abandona, pues la llegada de ellos a su vida, simboliza la benevolencia y la compasión de Dios revelada sobre usted.

El resentimiento y la raíz de amargura son extremadamente dañinos, nos cauterizan bajo el sentimiento de victimizarnos y obviamos la intervención de Dios que no necesariamente tenía que manifestarse con las personas que entendíamos que debieron estar. En lo personal me costó mucho perdonar a una persona, la cual le tengo un amor y respeto enorme, pero admito que me fue difícil asimilar su manejo para conmigo, pero en un tiempo de oración fui ministrada muy fuerte por medio de este texto:

"Si el ánimo del gobernante se exalta contra ti, no abandones tu puesto. La paciencia es el remedio para los grandes errores". **Eclesiastés 10:5 (NVI)**

Esto confrontó fuertemente mi concepto y derribó el argumento final que me faltaba para cerrar mi proceso de restauración, aprendí que no es sano tener a nadie instalado en el alma, los sentimientos negativos no dañan a quien le causó la herida, le dañan a usted. Y si aplicamos la honestidad, recordemos que es difícil para un padre escuchar la noticia que una de las niñas de sus ojos no fue lo suficientemente madura para cuidar un liderazgo tan hermoso que Dios había puesto en sus manos.

Me tocaba perdonar y no olvidarme que, en un porcentaje muy elevado, él tenía razón; Dios organizó el escenario y simplemente abrazarlo y escuchar esto:

Dios te bendiga mi hija, me siento orgulloso de cómo has manejado todo esto, agradezco a Dios por tu valentía y humildad de dejarte ayudar, sigo creyendo en ti y estoy seguro de que lo mejor aún no ha llegado a tu vida, sigue adelante. Me fue suficiente para sanarme por completo.

MUERES A LA ACEPTACIÓN

Sentir que los demás nos admiran, identifican y siguen nuestro perfil como ente de referencia, es una sensación agradable que nos compromete a cada día dar lo mejor y cuidar el tesoro de la reputación que hemos construido; pero existe una temporada que todo hombre y mujer de Dios debe saber manejar sin que esto le afecte emocional y espiritualmente, pues aunque genera impotencia, rabia interna y deseo de poner frenos a las actitudes patrocinadas por la mediocridad interna que gobierna la mente de aquellos que no han alcanzado madurez, la actitud frente a un ataque como este, deja expuesto la seguridad, equilibrio y capacidad de manejo que tenemos como líderes.

Existe una ligera línea entre la humildad y el egoísmo que todos poseemos, pero, una manera de revelar cual domina más nuestro carácter es cuando nos enfrentamos a la difamación, la reacción que tiene ante un episodio como este, revela más sobre usted que la persona impulsada que está atacándole.

> *No está llamado a agradar y ser aceptado por todo el mundo; cuando la persecución y la difamación no formen parte de su panorama, revísese, algo está haciendo mal.*

Cristo, teniendo la autoridad y respaldo que caminaban con él, jamás se detuvo a enfrentarse con los escribas y fariseos, ellos buscaban ocasión para hacerle caer, él continuaba sin desenfocarse de su asignación. De la misma manera, nunca emitió comunicados en su defensa, pues él conocía exactamente qué se ocultaba detrás del ataque, por lo tanto, detenerse a responderle como ellos

esperaban, defendiéndose, pondría en tela de juicio lo que era su carta de presentación, Hijo de Dios.

La defensa es el resultado del ego lacerado, la insistencia en dar detalles y explicaciones deja expuesto el miedo a perder la falsedad que has vendido por años, victimizarte es el lenguaje de tus carencias y falta de identidad; los hijos tienen carácter definido, el mismo no les permite detenerse ante las intimidaciones de sus opresores.

El concepto restaurado desde lo interior se revela exteriormente, aquellos que conocen a su redentor, no tienen tiempo ni espacio de perder la línea de su propósito, por enfocarse en su ego y deseo de ser aceptados.

El mundo emitirá que creyó en su proceso de restauración, pero detrás, disfrutaran de rechazarle y ponerle la estampilla de aquel que Dios usa, pero cayó. Que nada de eso le detenga, es el vivo ejemplo de cómo las ruinas se convierten en la mesa que sostiene el barro donde el alfarero trabaja, la opinión de quien no vivió el proceso pierde efecto ante el oído del procesado.

"Por lo demás, que nadie me cause más problemas, porque yo llevo en el cuerpo las cicatrices de Jesús".
Gálatas 6:17 (NVI)

Capítulo 7

¿QUIÉN NECESITA RESTAURARSE?

Muy buenos días pastora. Espero haya descansado. Le escribo con la intención de recibir de usted un consejo, soy una mujer divorciada, y luego de mi separación mi vida jamás ha sido la misma, la opresión, ansiedad, tristeza, pesimismo y falta de control son mi pan de cada día, siento que ya no puedo más; oro, ayuno, estoy entregada a la iglesia, pero cada día que pasa me pregunto si Dios está prestando atención a mi clamor, pues por más que me acerco a Él, los pensamientos intrusivos me consumen. Ya no encuentro qué hacer.
Espero su pronta respuesta y consejo.
Se despide de usted: Ana Alcántara

Ante una situación como esta, sé que una respuesta seria en un 75% de que la señora Ana está bajo la maldición del pecado del divorcio, y

este es el motivo de su condición. Puedo asegurar que muy pocas personas, por no decir nadie, le ha dicho a esta señora que ella necesita un proceso de restauración, pues un divorcio es una marca y uno de los duelos más difíciles de superar, si el individuo se queda preso en la etapa de negación, existe la posibilidad que necesite la intervención de los profesionales de la salud mental para superar dicho acontecimiento.

Hace aproximadamente dos años me encontraba ministrando en un lugar y daba una conferencia de sanidad interior, expresaba mi alto nivel de preocupación ante la falta de preparación de líderes eclesiásticos en el área de la salud mental, es un reto decirlo, hay casos y temas que orar y ayunar es la base, pero es de gran importancia utilizar la ciencia para restaurar al individuo que lo necesita. En caso de que usted no lo sepa, la Psicología es una herramienta base en el proceso de restaurar a alguien, el líder que combina lo espiritual y lo científico en el comportamiento humano, tiene un instrumento extremadamente agresivo en el mundo espiritual, pues este no solo sabrá identificar qué área golpear espiritualmente, también lo hará en el ámbito emocional.

Cuando se habla de un proceso de restauración, todos enfocamos el ámbito sexual y esto es un grave error, la restauración es el proceso que todo aquel que está roto necesita experimentar, es decir, no sólo la fornicación es el tema para tratar en este sentido, hay cuestiones que están consumiendo a miles de creyentes que necesitan ser restaurados, pero no específicamente en el área sexual.

La restauración la necesita:

1. El divorcio
2. El duelo
3. La ruptura de noviazgo
4. Las ataduras sexuales

1. Divorcio: Uno de los procesos más difíciles en un individuo es ver como su familia se destruye. Tenemos que recordar que nadie quiere ser parte de un fracaso familiar, pero lamentablemente es un acontecimiento del que nadie está exento, el creyente como tal, aunque no tiene ese enfoque, pasa por situaciones que abarcan ese proceso, pero como iglesia solo enfocamos el punto del re-casamiento, pasando por alto el peligro y la vulnerabilidad que tiene un individuo después de enfrentar este tipo de situaciones. Puede que tenga etapas que no se deben saltar, pero quien lo está viviendo necesita acompañamiento y una intervención en manejo de crisis lo que lamentablemente escasea dentro de las iglesias.

Recuerdo que alguien a quien amo mucho se separó, y actualmente está apartada del evangelio por tal situación, el mal manejo y la falta de empatía la lastimaron tanto que lamentablemente su decisión fue abandonar, lo cual no considero una excusa, pero no todo creyente resiste la presión que le viene encima luego de una decisión como esta.

Quien se divorcia es presa fácil de caer en vicios, conductas dañinas, depresión, ansiedad, incluso pensamientos suicidas, a diferencia de un no creyente, este tiene un sentimiento de culpa y miedo ante el rechazo de la iglesia por la decisión tomada, todos juzgan y señalan, pero pocos preguntan y crean soluciones antes de que la decisión de la separación sea la única opción para tomar. El tema de la familia necesita refuerzos, el acompañamiento en situaciones de crisis es un estado de emergencia.

Dentro de las consecuencias más preocupantes después de un proceso de divorcio, es el comportamiento contrario a la naturaleza del individuo; conozco mujeres que luego de una separación cayeron en la cautividad de la promiscuidad, lesbianismo, comportamientos obsesivos, altos niveles de ansiedad y depresión, y todo esto producto a un estado que la psicología le llama estrés postraumático, secuela del impacto emocional que deja como resultado separarse.

Súmele a esto la poca prudencia de la iglesia ante un tema tan delicado como este.

Nadie quiere que su familia se le destruya, créame que no es un lujo exhibir públicamente que un hogar se quebró, es por esta razón que, como pastores, nuestro compromiso es acompañar y no juzgar a quien lamentablemente pasó por un proceso similar. La víctima de un divorcio necesita entender y aclarar dudas, restablecer su concepto de sí y no sentirse fracasado, después de Dios, en sus manos está que, aunque la pareja no esté junta, si estos tienen frutos ambos puedan manejar la situación de manera madura con la única intención de cuidar el corazón de los hijos. Todo esto amerita de acompañamiento espiritual y emocional, orar no lo es todo, aprenda a sostener y quítele la estampilla de fracasado. Un capítulo no define el contenido del libro completo.

2. *Duelo:* la psicología lo describe como el estado psicológico que resulta de la pérdida de una persona importante, que ha formado parte de la existencia del individuo.

En lo personal en este tema me tocó vivirlo con tres seres que son parte de mí, mis padres y mi esposo. El más difícil de todos fue el duelo de mi esposo, ya que mi suegra partió con el Señor 32 días antes de nuestra boda, fue un golpe muy difícil para él. Después de un año y cinco meses sin ver a su madre, lamentablemente un cáncer le arrebató la vida. En medio de este proceso Dios me dio el privilegio de estar con ella sus últimos días de vida, creamos una relación muy hermosa en cuestión de dos semanas, y aunque ya Dios me había dicho que ella moriría, yo no aceptaba, no asimilaba que mi esposo pasara por un proceso como este. Lamentablemente el 23 de noviembre, a mediados de la madrugada, nuestra amada Miriam abandonó este plano. No sé lo que me toque vivir en lo adelante, pero uno de los días más tristes de mi vida fue darle la noticia a mi esposo, sencillamente no hay palabras que puedan describir lo que sentí esa mañana, a mí se me desplomó el mundo con él, pues sabía que era un trago demasiado amargo y darle apoyo a distancia ha sido mi proceso más fuerte.

Quien pierde un ser querido no asimila la pérdida de manera inmediata, está la etapa de la negación, que equivale a seis meses, aproximadamente, para que se acepte la pérdida, pero si luego de un periodo el individuo no logra asimilar, debe ser intervenido por un especialista en duelo, ante un proceso como este, la prudencia es la base, palabras, consejos y supuestas sugerencias deben salir del lenguaje de quien está cerca a la víctima de un proceso tan doloroso como este.

Como creyentes cometemos errores garrafales ante el duelo, pero estoy consciente que se hace sin la menor intención de dañar, la falta de conocimiento nos lleva a hacer daño cuando solo queremos ayudar y muchas veces creemos que ser cristianos nos impide sentir. La religión anula inclusive el derecho que tenemos de quebrarnos ante el dolor y sentir que la vida sin esa persona que partió no tiene sentido. Olvidamos que esas palabras dichas en medio del momento son solo el efecto de las emociones fuera de lugar ante el proceso de aceptar la pérdida.

Palabras como: *¡Debes ser fuerte, que Dios lo quiso así! ¡Debes ser conforme con Dios!* Sus palabras quizás sean ciertas, pero entienda que por el momento su cerebro se niega a aceptar la pérdida, y este episodio se lleva un tiempo largo con el que se debe tener paciencia, nadie supera una pérdida de la noche a la mañana, y esto no mide rango, perder un ser querido sencillamente duele y todos necesitamos un tiempo para aceptarlo.

Ante la perdida, quién la está atravesando emocionalmente se vuelve inestable, y como pareja está emocionalmente indispuesto, tiene cambios en su conducta y se torna un carrusel de emociones, si no hay paciencia y sabiduría, un duelo no tratado puede destruir un matrimonio, la víctima de duelo puede incluso hasta perder el deseo de la existencia, y como líderes debemos estar alertas ante cualquier imprevisto, aparte de saber manejar una crisis como lo que es la pérdida. En mi caso, mi esposo vivió dos duelos en uno, la distancia y la pérdida sorpresiva de su madre, tuvimos que separarnos físicamente veintiséis días después de nuestra boda, eso también es un duelo. Él tenía días a donde se desplomaba, pero yo sabía que necesitaba manejar la situación con mucha sabiduría, no precisaba tenerlo cerca para darme cuenta cuando estaba mal, leerle y escuchar su voz me era suficiente, no había reclamos, peleas, discusiones, no podía pensar en mí, tenía que ponerme en su lugar y solo hacerle saber que estaba ahí. Puedo decir con seguridad que, si un matrimonio no maneja el duelo con sabiduría, esto puede traer una crisis de impacto muy negativo. Para sostener a uno de los cónyuges afectado solo necesitamos empatía y prudencia, los reclamos por los cambios conductuales en un proceso de duelo son normales, pero al momento de cauterizarse en la etapa de negación, lo más recomendable es asistir a un especialista en duelo, pues esto puede repercutir en la vida del paciente de manera dañina y dejar daños irreparables.

Llorar es una etapa que todos vivimos y tarde que temprano experimentaremos, seamos empáticos y aprendamos a ser parte de la solución, facilitémosle al afectado un ambiente donde sienta que tiene apoyo y no está viviendo ese amargo momento solo. Desde mi experiencia me ha tocado ser muy comprensiva con mi esposo, y en medio de su proceso, el cual le permito que viva, al mismo tiempo le hago saber que si un día no se siente bien, no será un punto a desfavor para conmigo. En procesos de dolor y mucha presión, tu esposo solo necesitará a una mujer que revele con hechos el significado exacto de complemento y ayuda idónea.

Romanos 12:15: *"Alégrense con los que están alegres; lloren con los que lloran".*

El dolor se experimenta en diferentes facetas, luego de una pérdida el corazón no es el mismo, se necesita de un espacio prudente donde el individuo logre reconectarse con la realidad. Basado en mi experiencia de acompañamiento en el duelo de mi esposo dejaré estos consejos.

* ***No sea imprudente al hablar:*** frente a una pérdida no se emiten palabras, solo se le hace sentir al pariente que tiene apoyo, recuerde que nadie asimila de manera inmediata que no volverá a ver a un ser querido. Ante la pérdida de una madre o de un hijo, no existe dolor comparado, sea prudente con sus comentarios.

- *No exija, sea paciente:* uno de los momentos más difíciles para una pareja lacerada por una pérdida, es ver los cambios de humor que este puede tener, lamento informarle que después de la pérdida, el carácter de su cónyuge dará un giro, sea sabio para proceder ante las crisis que esto pueda traer, las mujeres principalmente somos muy emocionales, y es un desafío interno sentir que no tiene respaldo de tu esposo, pero ante este tipo de situaciones debe recordar que es solo un proceso, manéjese, no discuta, no se altere; aprende a sopesar lo que vas a plantear, discierne el momento exacto y prudente para hacerlo.

- *Abrace y de palabras de fortaleza:* ante una sociedad que le enseña a soltar de la manera más fácil, demuestre que Cristo habita en su corazón y es diferente. Ante una situación de duelo, haciendo una recopilación de todos los cambios que esto genera, maneje la sabiduría y práctica, el arte que le definen como mujer, sea ayuda idónea, un abrazo y una palabra de fortaleza derrumban todo argumento mental que se posiciona para destruir. Cuando las brasas del dolor inundan, apáguelas usando sus brazos y palabras como herramientas. El dolor más inmenso puede curarse con una sola palabra que sirve como vaso de agua en medio del desierto.

Use la sabiduría, reconstruya y restaura teniéndola a ella como su mejor aliada.

"La mujer sabia edifica su casa; la necia, con sus manos la destruye". **Proverbios 14:1**

3. Ruptura de noviazgo: imaginemos por un momento el nivel de química cerebral que genera un individuo al momento de enamorarse, la película que forma en su mente no se compara con ningunas de las relatadas en Disney; súmele a esto que cuando la relación ha llegado a compromiso, fecha de boda, vestido, lugar para recepción, colores, etc., pero de repente todo el escenario se cayó, la relación terminó, todo se vino abajo, ¿Cómo queda la parte afectada? ¿Qué pensará que pasará del amor? ¿Volverán a abrir su corazón? ¡Impresionante!

Este tema no está en la lista en el proceso de restauración y acompañamiento, entendemos que decirle a la parte afectada que toda obra para bien, que así lo quiso Dios, basta para que vuelva a estar en su estado natural emocional y espiritualmente hablando.

La única relación que tuve con fines de matrimonio antes de casarme con mi esposo, lamentablemente terminó de una manera muy traumática; experimentar la ruptura donde se te abandonan sin ninguna razón, te quedas colgada en el aire, genera ansiedad, rabia, dolor y tu estima de mujer queda en el piso.

Producto a esa relación fui muy inestable y extremadamente insegura, me quedé presa en ese capítulo y fue el proceso de falta de perdón más largo, perdonar a esa persona me costó años y esa herida me produjo otra peor. Después de agotar mi tiempo para restaurarme entendí que lo mejor que sucedió fue que la relación terminara, que éramos polos opuestos. Ante esta situación conocí la depresión y la ansiedad, la inestabilidad y los impulsos, todo lo que quería era una explicación, pero lo que escuchaba de todos era: Dios lo quiso así, fue lo mejor que te pudo pasar y aun sea cierto. En el momento de la ruptura no se ve de esa manera, por lo tanto, es bueno preguntar y nutrirse del tema, hacerle entender de manera madura a nuestros jóvenes que una vez se quiebra una relación se vale sentirse frustrado, pero es un proceso normal que todos experimentamos y nos enseñan a madurar y saber elegir cuando estemos listos.

Después de una ruptura llorará, sufrirá, se sentirás frustrado y todas las emociones excitantes la experimentará, pero luego, debe aprender a cerrar el capítulo y tomar lo bueno de la relación para continuar bajo la misma línea, lo negativo para fomentar madurez en esas áreas y procurar no repetirlo con una segunda persona.

Si enseñamos a nuestros jóvenes a identificar una relación de propósito, y cerrar con altura una pasada, el nivel de frustración en ellos no fuera tan elevado, súmele a los que lamentablemente se casaron sin un tiempo previo de preparación y producto a una caída se vieron presionados a entrelazarse en matrimonio, con el tiempo el desenlace será un divorcio y una familia destruida. En medio del noviazgo se experimentan situaciones que son necesarias para determinar la eficacia y raíz de una relación; por lo tanto, matrimonio sobre la plataforma de la fornicación no es lo más sano, sin antes pasar a la pareja por un proceso de restauración, no cometa el error de presionar, siéntese e indague, asegúrese que ambos están dispuestos a reparar el daño y luego, deje que ellos decidan. Como líder no le compete imponer, otorgue su punto de vista y aconseje de la manera más sabia, de ahí la decisión es de ellos. Si se maneja de manera contraria, existe un 90% de que esa relación no prospere, por lo tanto, en medio del noviazgo usted tiene la responsabilidad de reparar antes de casar, la culpa y el peso de la vergüenza son emociones dañinas, irse al matrimonio bajo sus efectos no es lo más sano.

4. Ataduras sexuales: si supiéramos la cantidad de jóvenes que tienen luchas en el ámbito sexual, el nivel de conductas que se hacen detrás de la pantalla que no necesariamente llegan al contacto físico, todo aquello que tenga como fin producir placer utilizando imaginación, fotos, juegos y demás, fuera del matrimonio se considera pecado. Esta es una forma de ejercer fornicación en un sentido más profundo y complejo de lo que podemos llegar a imaginar, actos como la pornografía, la masturbación, el sexting, y todo lo relacionado a la lujuria, encarcela y consume espiritual y emocionalmente.

¿Acaso es pecado el sexo? ¡No! Pero todo lo relacionado a ese tema debe ser de manera sana, nada que te agreda moral y espiritualmente dentro del evangelio, y aun fuera de él se considera sano. Dentro de todos los casos que, para gloria de Dios he manejado, los más difíciles y complicados están relacionados a la pornografía y la masturbación, y es lógico, todo aquel que consume pornografía termina tocándose, pero luego del acto, la opresión y la culpa consumen de tal manera, que el placer sentido por el acto, no se compara con el malestar causado por haberlo cometido.

Cabe destacar que todo ser humano tiene temporadas donde se siente tentado a lo relacionado con el sexo, la adolescencia, por ejemplo, es una de las etapas más difíciles, especialmente para los varones, que en una edad determinada atraviesan por este tipo de conductas que son normales, si, totalmente normales, pero, en una edad adulta, en el espacio de la soltería, estando casados, este tipo de situación no debe suceder. La ciencia tiene su línea en este tema, pero estamos llamados a manejarnos por la Palabra, la lujuria y la lascivia son obras de la carne, y toda impureza sexual abre puertas, que una vez son abiertas, no solo son episodios que lastiman emocionalmente, son cautividades y cárceles de opresión, de las cuales no es tan fácil salir. Miles de jóvenes caen en depresión por consumir pornografía, tanto así, que este acto pasa a ser una adicción, y toda adicción tiene un especialista que lo maneja, por lo tanto, necesita ayuda para salir, agotar un tiempo de restauración, liberarse y desintoxicar su mente de los niveles de perversión y desvío que esto genera.

En mi travesía en el Instituto Médico De Atención A La Familia (IMAFA) descubrí que actualmente existe una institución parecida a Alcohólicos Anónimos, especialmente para los adictos a la pornografía.

¿CUÁNDO SE CONSIDERA UNA ADICCIÓN?

Cuando los impulsos gobiernan y la necesidad de ver no se puede controlar, y al perderse lo cotidiano, esto roba toda la atención eliminando por completo el fluir del individuo, esto es adicción y necesita ayuda. Sin dejar de resaltar que corrompe la mente y despierta conductas como la pedofilia (atracción sexual por niños), poniendo en un riesgo su inocencia, puede producir promiscuidad y dejar secuelas negativas en la conducta de quien lo consume.

La pornografía es un mercado que con los millones de dólares que genera, se ha llevado la inocencia de miles de jóvenes, para este mal no hay géneros, y el porcentaje dentro de las iglesias aumenta por la falta de orientación.

Imagínese a un alérgico a la aspirina decirle sencillamente que no se la tome, eso no le hará nada, la curiosidad de consumirla le va a ganar y próximamente le verá en cama, ahora bien, dígale que el componente que tiene es dañino para su salud y por eso le causa alergia, y verá que en su lista de medicamentos y ante el formulario de un expediente médico, en primera estancia advertirá que es alérgico. Con decirle a los jóvenes que no consuman porno no es suficiente, explíquele el efecto en su cerebro y bíblicamente deje claro el daño que esto le causa a su alma, aclare y advierta que la pornografía corrompe, lacera y cauteriza.

Ahora bien, ¿cuál es la cuestionate aquí?, los jóvenes presos en este tipo de conductas no hablan por temor al rechazo y el poco manejo de los líderes, el miedo a ser avergonzados públicamente los lleva a callar, mientras que el peso del silencio agregado a la pena y el deseo de salir de la cárcel, día y noche les consume.

La pornografía a destruido matrimonios, ministerios, perfiles profesionales, empresarios y más de lo que usted se imagina, el acto campo de la pornografía es un mercado que vende a la mujer como instrumento de desahogo, la comercializa y más penoso que esto es, que muchas de las actrices son víctima de trata de personas, niños que fueron secuestrados y producto a eso hay miles de madres que hasta hoy lloran la pérdida irreparable de un hijo que posiblemente el mercado de la pornografía infantil y el cine de adultos les arrebató.

Muchas de las desviaciones sexuales con las que muchos jóvenes están batallando, tienen epicentro en el consumo del porno. La confusión en cuanto a definición sexual, es producto a consumir pornografía lésbica y homosexual, detrás de todo esto existe una fuerza demoniaca que lo gobierna, entidades de alto rango penetran a la vida del creyente y le atan, muchos de ellos se casan pretendiendo ser libres de esto con el matrimonio y lamentablemente es lo peor que pueden hacer. El matrimonio no es un método para traer libertad de las cautividades sexuales, todo lo que abarca el desorden sexual se trabaja antes del matrimonio, no después de casarse.

Las obras de la carne son todo lo contrario al diseño de Dios para nuestras vidas, por lo tanto, practicarlas lo único que traerán a nosotros es muerte y parálisis, es necesario evitarlas y negarnos a ser parte de ellas.

El *sexting* es la nueva modalidad, práctica que se basa en producir y sentir placer de manera virtual, fotos, video, etc., teniendo como base una conversación fuera de orden y muy elevada de tono. La premeditación sexual es la causante de que ante la oferta no se tenga dominio y por esto se llega al acto de consumar. Las conversaciones corrompidas entre dos solteros no se terminaran reprendiendo demonios, la mente es poderosa y muchas veces los niveles hormonales inician de esta manera, la Biblia no se equivoca cuando dice: *"No se dejen engañar: las malas compañías corrompen las buenas costumbres"*. 1 Corintios 15:33

Lo que hablamos tiene mucho que ver con nuestro accionar, si queremos agradar a Dios, iniciemos por evaluar lo que conversamos y con quién lo hacemos, con las hormonas no se juega.

Si está atravesando por una situación similar a esta, no se quede estancado en los niveles de opresión que esto por naturaleza genera, pida a Dios las fuerzas e identifique a alguien maduro y espiritual que pueda ayudarle a salir de esa situación. Las cautividades sexuales pueden estancar y retrasar su propósito, si está batallando con esto no extienda y procrastine solicitar la intervención de alguien que le ayude, y agote un tiempo donde pueda reparar cada parte que quedó lastimada por esos actos que hizo, sin buscar culpables, sin justificarse, admita, reconozca y acepte que necesita ayuda.

Capítulo 8

PRINCIPIOS BÁSICOS PARA UN PROCESO DE ACOMPAÑAMIENTO

La corrección es una medicina amarga como hiel, pero su resultado es dulce como la miel; el enfoque de la corrección es traer cambios, y cada proceso de cambios abre heridas con la intención de que este se manifieste.

Si algo como líderes y aun fuera del liderazgo debemos tener claro, es que la corrección es un acto del cual el 85% de los seres humanos les produce malestar, es decir, no les gusta ser corregidos; no podemos pasar por alto el significado y la realidad de ser corregido, esto tiene como enfoque doblegar nuestro ego y llegar a este nivel es un acto que, en su esencia, se basa en humillarse. Para nadie es un secreto que de solo pensar en humillación esto suena a tragedia, pero todo lo contrario, el acto de la humillación está basado en el pensamiento del individuo que acepta un error y que ciertas situaciones, se escapan de sus manos.

Actualmente la iglesia se encuentra en el centro del desafío nunca visto, estamos ante la generación frágil, incorregible, amante a la aceptación, perseguidora de aplausos, etcétera. El resultado de todo esto es el cierre total al cambio y proceso de desarrollo integral y corporativo, sencillamente, no se deja ni acepta ayudas, por lo tanto, este desafío nos exige la madurez y el carácter necesario para enfrentarlo. Ahora bien, una esencia del restaurador también es saber discernir e interpretar cuando se puede trabajar con un caso, pues también se debe identificar la hostilidad que no le permite a una persona cambiar de actitud, usted encontrará en su cuerpo de liderazgo o grupo de seguimiento a una naturaleza manipuladora que desgasta, la cual debe tener discernimiento y el carácter suficiente para también soltar, pues de no hacerlo, usted está invirtiendo un tiempo que jamás recuperará en una persona que no se permite cambio, cuando el entendimiento de una persona está entenebrecido, permítale a Dios que determine cómo trabajará esa causa. Si agotó los medios y no hay cambios, no se agote, aprenda a soltar.

Dejo esta parte clara, porque nuestro objetivo es formar y traer luz, pero al mismo tiempo aprender a identificar las ovejas de las cabras, la oveja es mansa, pero la cabra por sus brincos e inestabilidad suele quebrarse la pata más rápido. A las cabras, su intensidad le arropa la prudencia. Al momento que usted es corregido o corrige a alguien, sucederán dos cosas, habrá carácter transformado, o un mayor nivel de cautividades. El secreto del resultado siempre lo determinará el método y la respuesta del receptor. Iniciar un proceso de restauración es una tarea que por naturaleza genera muchísimas situaciones incómodas, créame, que invertirse en alguien con la intención de ayudarle a reposicionarse es un arte que no todos dominan. Si desea resultados efectivos, debe saber que le tocará dedicar tiempo y dotarse de mucha paciencia, y eso no todo líder lo posee. Dejaré algunos pasos, los cuales, para gloria de Dios, no sólo experimenté, también lo utilicé en proceso de acompañamiento:

- *Maneje la Prudencia:* uno de los grandes dones que puede poseer un líder es saber hacer uso de la inteligencia emocional, esta herramienta es lo que la Biblia establece como cautela, manejo, visión y discernimiento, si usted aprende a manejar eso, tiene la mitad del tratamiento completo, sin esto, evitará que la cirugía sea un éxito y el paciente salga vivo.

Imagine por un momento asistir a una reunión para confesar y manejar una situación tan complicada como lo es un daño moral, pero al momento de expresar un malestar, de entrada, recibe una amonestación con palabras inadecuadas y fuera de tiempo, eso será letal en su posición de líder, y será mucho peor para quien emitió el grito de auxilio.

> *Cuando una persona te confiesa algo, simbólicamente te está pidiendo ayuda, mida sus palabras y maneje la prudencia.*

"En la lengua hay poder de vida y muerte; quienes la aman comerán de sus frutos". **Proverbios 18:21 (NVI)**

De manera muy clara este texto expone lo que quiero establecer como principio, reconocer que nuestras palabras tienen la capacidad de levantar, sepultar, restaurar, hundir, dar vida, o matar. No existe la intención de matar y dejar sin efecto la autoridad ante la corrección, es reconocer que todo lo que se dice de manera negativa deja revelado la poca capacidad de manejo de conflictos que podemos tener como líderes.

Siempre me pregunto por qué al momento de realizarte un examen de salud y este revela una enfermedad terminal, el equipo médico utiliza la herramienta de la terapia para dar la noticia, ellos saben que darla de golpe puede dejar secuelas negativas; eso exactamente sucede con la corrección, si no sabemos usarla, terminaremos matando, aunque nuestra intención sea dar vida.

Hace aproximadamente tres años, a mi correo comenzaron a llegar muchos casos, aunque usted no lo crea, todos eran de jóvenes batallando con situaciones de origen muy personal, esto le dejaba como resultado un alto nivel de ansiedad, depresión circunstancial, entre otros síntomas, pero, antes de dar mi respuesta, leía una y otra vez, pues ante una persona lastimada hay que tener mucho tacto, recuerde que por naturaleza el herido se toma todo de manera muy personal, el dicho y actitud de los demás, y aunque se tenga la respuesta exacta ante esa situación, se debe evaluar el momento para decirla, una corrección fuera de tiempo puede sepultar a alguien definitivamente. Sea prudente.

- *Navegue Mar Adentro:* así como usted desglosa un texto para acercarse al mensaje exacto del mismo, de esa manera debe analizar algunos casos que le llegaran a sus manos, soy muy cuidadosa para tocar este tema, pero no significa que no crea en él, pues vengo de una raíz espiritualmente muy peligrosa (santería) y conozco el manejo de ciertas conductas las cuales están relacionadas a cautividades espirituales. Leamos detenidamente el caso de Carla:

Una joven muy hermosa la cual llamaremos Carla, se encuentra bajo un tiempo de acompañamiento con el fin de restaurarse de una caída, pero su líder de cabecera descubre algo que la dejó atónita, Carla ha tenido cuatro relaciones que nunca se han concretado, y todas terminan por un acto sexual, es decir: Carla se entregó en todas las relaciones y todos la dejaron luego de, y esto no es lo más preocupante, las relaciones no llegaban a lo que pudiéramos llamar una relación, pues en cuestión de dos meses, ya había pasado absolutamente de todo.

¿Qué hacemos con Carla?

Ante casos como esto, hay una frase que describe lamentablemente a los hermanitos que se creen más santos que todos en la iglesia: ¡Esa es una metresa!

Generalmente se les llama metresa a la mujer con un alto nivel de seducción, y desenfreno sexual, pero en la santería esto se le atribuye específicamente a una entidad demoníaca cuyo trabajo es desenfrenar sexualmente, y aunque esto no se puede descartar, créame que el problema en sí, no está en la posesión demoníaca que la tiene cautiva. Esto tiene en parte de su origen características que usted debe investigar para abrirle la cárcel y dejarla libre. Aunque el ataque puede ser espiritual, no obvie que todo desorden tiene detrás una fuerza no natural que lo domina. Ante un caso como este, debemos analizar:

1. *Heridas no sanas*
2. *Patrones repetitivos*
3. *Baja estima*
4. *Inmadurez*
5. *Incapacidad para poner límites*
6. *Promiscuidad*

El desorden emocional y la falta de sanidad interior es la apertura a que fuerzas demoniacas tomen ventaja y cautericen a las personas, y tratándose de un tema sexual, sabemos que el acto de intimar no es solo placer, cuando usted se acuesta con una persona se hacen uno, esto implica transmisión en todo sentido de palabras, sus fluidos cargan esencia y energía, con cada persona que tiene sexo, le está dejando parte de su esencia, y viceversa. La razón por la que el pecado de fornicación es el más peligroso tiene raíz en esto.

La promiscuidad es una conducta que muchas veces se aprende teniendo como base a nuestro ámbito familiar, el llegar al evangelio no significa cambio inmediato, y ciertas conductas se manifestaran al pasar de los años. Por esta razón, antes de implementar herramientas espirituales como la liberación, debe tener un genograma de la vida de esa persona, esto le arrojará luz y sabrá qué área golpear.

En el caso de Carla, es evidente que debe ser trabajada a nivel emocional, su estima esta lacerada y tiene un alto trauma por abandono, hasta no sanar esto, Carla no será estable en ninguna relación, no formalizará con absolutamente nadie, y la tendremos en oficina cada cierto tiempo.

Como Carla hay miles de jóvenes que gritan desesperadamente por ayuda, pero la poca capacidad de los líderes no le dan esperanza en medio de este mundo de oscuridad, con las Carlas no se puede podar el árbol, hay que cortarlo de raíz.

- **Separe el Maltrato de la Corrección:** no importa lo honesto y duramente sincero que usted sea, corregir sin empatía se llama matar sin espada. Ante el proceso de la restauración, a lo largo de este libro hemos hecho mucho énfasis en la prudencia y la sabiduría frente a la corrección, el maltrato verbal puede llegar a hacer más daño que el físico, hay golpes que

116

a la semana se borran, pero hay palabras que tardaran años para sanarse de ellas.

Las palabras tienen más impacto del que conocemos, son un estilo de semilla que germina y produce raíces, en mis consejerías recibo más personas laceradas por palabras que por pecado cometido, y esto no es más que la violencia verbal con la que muchos líderes se manejan. Agréguele insultar públicamente y emitir desde el altar que Juan está en disciplina porque fornicó, tener miles de miradas centradas en él, comentarios, indirectas, dicho sea de paso, hasta mensajes creados que se utilizan con el supuesto fin de sacar el pecado a la luz por que el celo por lo de Dios les consume. Ante una situación como esta, si la persona no es madura y carece de raíces, es un futuro descarriado que odiará el evangelio y jamás volverá a una congregación, y usted dará cuenta a Dios por eso.

Es un error garrafal pretender que utilizar palabras despectivas y lacerantes crearán el carácter que buscamos en las masas que dirigimos, las palabras no solo son palabras, ellas forman la naturaleza del individuo, nuestra mente tiene la capacidad de establecer un pensamiento que dirija nuestras vidas mientras tengamos existencia; de nosotros depende que exactamente queremos formar en los demás, pues por una palabra hacemos que alguien venga a Cristo, y por la misma quebramos su fe en su existencia.

- **Discernimiento**: en cuanto al tema de la restauración, ser líder, dar consejería, asesorar familias ante crisis, y todo lo relacionado a aquello que conocemos como proceso, la herramienta más poderosa se llama discernimiento de espíritus.

1 **Juan 4:6-11 (NVI):** *"Nosotros somos de Dios, y todo el que conoce a Dios nos escucha; pero el que no es de Dios, no nos escucha. Así distinguimos entre el espíritu de la verdad y el espíritu del engaño".*

Aunque el escritor específicamente habla de los falsos profetas que operan bajo espíritu de engaño, dentro de nuestra función como restauradores debemos aprender a determinar el espíritu de manipulación que se oculta detrás de miles de casos, una señal viva de no aceptar el proceso, es la hostilidad en el acto del sometimiento, para un rebelde, sentarse y repararse le lastima demasiado su ego, prefieren moverse de lugar con su mochila de problemas, antes que permitirle a usted que la abra y descubra lo que hay dentro. Discierna.

Si no tiene el don de discernimiento, puede estar desperdiciando medicina en un enfermo que no desea sanarse, pues, pregonar libertad y dar apertura de cárcel, son dos cosas diferentes, hay personas que ni abriéndoles las puertas de la cárcel desean la libertad.

> *De nada vale pregonarle libertad a un esclavo que ama sus cadenas.*

La libertad es responsabilidad, madurez y carácter; cuando el hombre de Dios se restaura, existe un rompimiento en todo el sentido de la palabra, su naturaleza no es la misma, las calles de la esclavitud no son nuevamente recorridas por él, la restauración verdadera hace que el restaurado aborrezca el pecado, por lo tanto, usted como líder debe observar desde el habla hasta las actitudes de quien está bajo este proceso, no se deje secuestrar por la emoción de la compasión falsa, tenga el carácter suficiente para corregir y soltar de ser necesario.

Hay personas que no cambiarán, por la única razón de que la libertad requiere un nivel de madurez que muchos se niegan a experimentar.

Efesios 4:18 (NVI): "A causa de la ignorancia que los domina y por la dureza de su corazón, éstos tienen oscurecido el entendimiento y están alejados de la vida que proviene de Dios".

- *La reputación vale más que el llamado:* ante una situación moral, cuando como líderes tenemos que enfrentar el tema, debemos ser muy sabios para determinar el método para reposicionar a quien fue impactado por el golpe de la caída. Por lo general, casi siempre, si una persona de mucho peso y arrastre comete un error, sus mentores prefieren tapar la falla y actuar como que no pasó nada, antes que aplicar una disciplina con el único fin de reparar el daño. Actualmente estamos ante la generación que depende en extremo de la aceptación de los demás, y créame, dejar que una semilla de pecado impregne es lo mismo que dejar bacterias vivas en una tierra fértil, poner por encima la reputación de una persona antes de corregirlo, nos pone en la posición de clasistas y abusadores del poder, pasando por alto que la corrección no mide posición ni corbata, debe ser aplicada con todos y de la misma manera, Dios no tiene hijos favoritos a los cuales si les tolera desorden, usted como líder, tampoco debe tenerlos.

Nuevamente menciono a Natán con el caso de David, si a alguien Dios confrontó de manera muy agresiva fue a este, y no pasó por alto que era rey, el nivel de corrección siempre será a la altura del error, mientras más alto estés, más duro será el golpe, por la misma razón, más fuerte será la corrección; pues a quien mucho se le delega, a mayor nivel se le exige. A los niños se le puede pasar por alto un error, su inmadurez no le permite tener el mismo nivel de conciencia de un adulto.

Medir el arrastre de alguien y taparlo para "cuidar" su nombre, es lo mismo que dejar a su hijo con un juguete que tomó sin ser de él, en un tiempo no muy lejano desarrollará cleptomanía por la falta de disciplina. Si tiene conciencia de su responsabilidad ministerial, millones de personas consumen su mensaje, súmele a la gran cantidad que le ve como ejemplo, y aun así decidió ceder teniendo conciencia de lo que está haciendo; ¿Por qué hay que ser más flexible para cuidarle el nombre? Con la misma responsabilidad que cometió el error, asuma el peso de su consecuencia.

- ***Reconoce el ataque espiritual y emocional:*** si conociéramos un 50% de lo que significa el método que utilizan las fuerzas demoniacas para cauterizar el alma y por medio de esto gobernar la conducta, aprendiéramos a detectar lo que se llama ataque y regiones de cautividad; ante la práctica del pecado, nos exponemos a laceraciones de carácter emocional que le dan paso a entidades que toman lo sucedido como ventaja, por medio de esto, podemos tener un individuo bajo un espíritu de confusión, enajenación mental y opresión de alto nivel. No podemos ignorar un principio en un tema tan delicado como este, "detrás de toda conducta dañina, hay una fuerza demoniaca que la domina", la fragmentación del ser humano es sin duda el nido de cautividades, por lo que usted debe conocer el movimiento espiritual al que se está enfrentando, pues hay situaciones y casos extremadamente complejos, que más que ayuno y oración, necesitan de un mentor que le haga entender a la víctima que la autoridad más elevadas ante las conductas del pecado, la poseemos nosotros mismos, la herramienta de mayor peso no es el ayuno, sino el poder del dominio propio que se consigue con disciplina y determinación, la llave de la cárcel se llama decisión. No crea individuos dependientes de usted, no le abra la puerta de la cárcel, indíquele a donde está la llave y como se usa.

Existen regiones de cautividad que solo usted tiene el poder de salir de ellas; usted las abre, usted las cierra.

Capítulo 9

INTERVENCIÓN DE DIOS, MÁS ALLÁ DE LAS RUINAS

> *La evidencia de tu llamado no se caracteriza por los dones y señales que te siguen; sino, por cada uno de los golpes que han azotado tu barca y, aún así, sigues caminando.*

Imagine usted que Dios, al momento de llamarle y decirle el propósito específico que tenía con usted, también le hubiese revelado lo que eso traía en el paquete: decepción, lágrimas, persecución, dolor, difamación, tristeza, frustración y todo aquello que componen el malestar que se vive tras cortinas. Ahí, precisamente en el lugar que nadie ve, pero que es al mismo tiempo el laboratorio a donde se le entregan revelaciones con autoridad, para traer sanidad y evolución en la vida de los que le van a escuchar. Estoy segura de que su respuesta ante esto sería un no, no pensaría en la fama, aplausos, nada de eso, corre y se niega a tener que vivir tanto por el simple hecho de tener una palabra de autoridad y peso.

Tener un llamado de Dios representa que te volverás una amenaza para todo lo contrario a eso, no encajaras en todos los lugares, de la nada te odiaran y te perseguirán, y puede que cuando más alto estés, un viento recio sople tu barca y la voltee, pero no te hundes. Esa es la mayor evidencia de las raíces y el peso de lo que cargas, resistencia y determinación, las dos palabras que hacen referencia a tu nombre.

Imagínese tener todo, pero de la nada quedarse vacío y sin nada, a dónde es el punto de referencia que Dios está utilizando para representar lo que realmente significa ser fiel, aun en medio del dolor y la ruinas.

Llegó el día en que los ángeles debían hacer acto de presencia ante el Señor, y con ellos también se presentó satanás.

—Y el Señor preguntó: ¿De dónde vienes? vengo de rondar la tierra y de recorrerla de un extremo a otro, —le respondió satanás—.

*—¿Te has puesto a pensar en mi siervo Job?
—volvió a preguntarle el Señor—. No hay en
la tierra nadie como él; es un hombre recto e
intachable, que me honra y vive apartado del
mal.*

No creo que exista un ser humano con ese
nivel de distinción con el que Dios se expresa, y
aunque este pasaje se ha puesto en tela de juicio,
alegando que solo es un relato, que no fue real, de
lo que sí estamos seguros es que la historia de Job
es un estilo de calmante ante cualquier momento
de desgracia, donde la fe y la confianza en Dios son
el punto de fortaleza.

¿Cómo entender una desgracia, si Dios es amor?

Detrás de cada momento difícil hay una
pregunta clave y un pensamiento que lo dirige, la
cuestión interna que todos en algún momento nos
hemos hecho: ¿Por qué? Créame que me la hice
muchas veces y hasta dudé de la benevolencia de
Dios para con mi vida, pues cuando sabes que tratas
de caminar en integridad, tu mente no concibe
ciertos acontecimientos de dolor que llegan cuando
menos lo esperas. Aun en medio de eso, hay una
semilla muy pequeña de fe, que se convierte en la
esperanza de que todo pasará, que nuevamente
reiremos y podremos ser partícipes de la paz y la

estabilidad; es solo un proceso momentáneo, no una sentencia de vida.

DESIGNIOS DE DIOS

"Tus ojos vieron mi cuerpo en gestación: todo estaba ya escrito en tu libro; todos mis días se estaban diseñando, aunque no existía uno solo de ellos". **Salmos 139:16 (NVI)**

Desde el momento que me fue revelado el misterio de esta palabra, ninguna situación que toca mi puerta me toma de sorpresa, pareciera la gasolina que mueve el vehículo de mi destino; aunque en el momento no es fácil de procesar que detrás de cada escenario de dolor está la intención de Dios de remover, sanar y restablecernos, con el tiempo entendemos que Él es soberano, por lo tanto, conoce el desenlace final y al mismo tiempo, permite los dolores y situaciones intensas, porque sabe el nivel de resistencia que impregnó en nuestro diseño.

Imagínese que Dios hiciera las cosas al azar, veamos si funciona y de no ser así, pues cambiamos de plan, eso dejaría sin argumentos lógicos sus atributos, pasaría a ser un dios común, sin razonamiento y sin poder certificado; sin dejar de resaltar que no todo proceso es un escenario orquestado por Dios, pues veamos su misericordia revelada aún en nuestra peor condición, existe una sentencia llamada consecuencia, hay un dolor que es producto de nuestros malos actos y lo vivimos como evidencia de acciones y teclas que jamás debimos tocar.

Job estaba lleno de fe sin conocer realmente a Dios, pues este desarrollo un nivel de integridad al eterno por los dichos de sus ancestros, sin embargo, en medio de esta escena, hay un desafío que se pone en marcha, a donde prácticamente el trofeo a ganar era la integridad y la confianza de Job, que aun estando en las ruinas, jamás dudaría de la misericordia y la intervención de ese Dios en el que él creía.

Hay un lenguaje simbólico utilizado por el escritor del libro de Jeremías que me encanta leer, y cada vez que tengo la oportunidad de hablar de la restauración, es imposible hablar de esto sin mencionar el trabajo del alfarero, y de cómo la rueda mientras gira, al mismo tiempo va exponiendo el diseño premeditado.

Si hacemos un breve análisis acerca de la intervención de Dios utilizando el barro como referencia, cabe destacar que tiene una cualidad poco mencionada, no es un material caro. Esto me lleva a analizar lo siguiente: ¿Por qué utilizar el barro y no un diamante?

El barro se consigue en suelos específicos, pero eso no le quita su facilidad de hallazgo, de igual manera, tampoco la de la humildad de dejarse trabajar, el barro suele derretirse en manos de su diseñador, no muestra rebeldía ante el proceso de reparación, por lo que en este mensaje emitido de manera simbólica queda claro que Dios está más interesado en trabajar nuestras debilidades que en pregonar y exaltar nuestro ego, el diamante tiene mucho peso y valor, por lo que más que hacer uso de humildad, exalta el ego de quien lo posee, todo lo contrario al barro, su humildad le permite al alfarero retirar sus asperezas y hacer de él una vasija de honra.

Cuando sus sentidos de perfección le eleven el ego, una ruina llegará, le quebrantará y reposicionará nuevamente.

Tengo 15 años escuchando el mensaje del proceso teniendo como referencia a un hombre llamado Job, pero nunca he escuchado a nadie analizar exactamente lo que la historia de este hombre deja como principio, hay estudiosos que alegan que se trata de una fábula, pero la misma aun sin ser posiblemente real, tiene un mensaje de esperanza que nos llama a permanecer en confianza, aunque nuestro mundo se encuentre en medio de ruinas. Dentro de todo un escenario donde literalmente hay un tribunal que apela a la integridad de Job, también es evidente que lamentablemente Job, no es lo que parece. Analicemos esto:

"¿Quién es éste que oscurece mi consejo con palabras carentes de sentido? Prepárate para hacerme frente; yo te cuestionaré, y tú me responderás". **Job 38:1:18**

La respuesta de Dios a Job pareciera la corrección de un padre molesto que le cuestiona a un hijo por qué se interpone a su plan, al mismo tiempo revela lo que pocos han descubierto de este relato. Job era justo, temeroso de Dios y apartado del mal, pero detrás de este admirable hombre, había una semilla de grandeza producida por su integridad, existían situaciones las cuales le era necesario pasar por una ruina para retirar todas esas asperezas.

Job permaneció siendo íntegro, pero al mismo tiempo cuestionaba su dolor, internamente se preguntaba el porqué de dicha situación, si Dios sabía que él era justo, por qué permitir una desgracia de tal nivel, si su devoción y deleite eran caminar rectamente, ¿dónde estaba ese Dios por quien sacrificó inclusive su carne?

Analizando esto humanamente hablando, es contraproducente que siendo íntegro caigas en situaciones frustrantes y lo pierdas todo, en momentos así podemos llegar hacer aquello que hizo Job, maldecir el día de nuestro nacimiento y desear morir, pues no existe una cárcel más agresiva que la mental, que día y noche te hace cuestionar el porqué de dichas situaciones.

"Qué perezca el día que fui concebido y la noche en que se anunció: ¡Ha nacido un niño!" **Job 3:3**

Aquí se refleja la naturaleza del hombre, simplemente está siendo humano, olvidó su nivel de integridad, sencillamente necesita que se le dé una respuesta y motivo de su situación , él sabía que no lo merecía, por la misma razón, no entendía el porqué; aunque pareciera ser un argumento normal que cualquiera en medio de una desgracia haría, exactamente ahí se encontraba el meollo del asunto, era exactamente ese pensamiento que Dios estaba trabajando con Job, y para hacerle saber que independientemente de su integridad, El hace como Él quiere y que el sufrimiento siempre saca de nosotros nuestra verdadera naturaleza. Evidentemente en medio de esta crisis, Job estaba siendo un tanto rebelde y egocéntrico, soy íntegro, y por esa misma razón, no merezco ser tratado con tanta dureza.

Me tienes acorralado, y da testimonio contra mí; mi deplorable estado se levanta y me condena. En su enojo Dios me desgarra y me persigue; rechina los dientes contra mí; mi adversario me clava la mirada. La gente se mofa de mí

abiertamente; burlones me dan bofetadas, y todos juntos
se ponen en mi contra. Dios me ha entregado en manos de
gente inicua; me ha arrojado en las garras de los malvados.
Yo vivía tranquilo, pero él me destrozó; me agarró por el
cuello ¡me hizo pedazos; me hizo blanco de sus ataques!

Job 19

Seamos honestos, aquí no está la expresión del Job que por años nos han predicado, se ve un hombre que está abiertamente diciéndole a Dios: *¡Eres un abusador! Yo vivía tranquilo, pero tu haz hecho de mis días tinieblas y oscuridad...* Créame que también tuve momentos a donde quise, al igual que Job, saber la dirección de Dios y hacerle unas cuantas preguntas, pues hay situaciones que son tan dolorosas e incómodas, que se llega a dudar de la benevolencia de Dios y su misericordia.

El dolor y sufrimiento de Job tienen una enseñanza muy profunda acerca del concepto humano que podemos llegar a desarrollar y por este, pensar que Dios tiene el compromiso de sobre guardarnos de todo momento incomodo, aquello que sea contrario a la paz, y que el ser íntegros es la carta de compromiso la cual Dios no debe romper.

Dentro del desarrollo de madurez, mudanza de pensamientos, quebrantamiento de patrones y conceptos erróneos que están impregnados en nuestro ser, pero que nosotros no tenemos la capacidad de ver. Detrás de esa "perfección"

existen pequeñas zorras que solo salen a la luz en medio de la presión, y justo ahí, al igual que Job, el Señor nos dejará sin argumentos de defensa ante la queja humana. Dios no debe dar explicaciones de su soberanía, hará lo que tenga que hacer, sin pedir permiso y aprobación de absolutamente nadie, por lo que ante todo proceso inexplicable, la única solución es obedecer.

Mientras escribía este libro recuerdo que me emocioné en el momento de la mentoría con mi asesor Riqui Gell, yo misma me decía: "lo lograste Maribel, ya el libro está listo", pero no imaginaba que el último capítulo me tocaría vivirlo, no necesariamente en un episodio como el de Job, pero a nivel de confusión y millones de preguntas me sentía igual, y una de mis hijas me dijo: "pastora, el libro que se escribe basado en ideas y conceptos sin vivencias, no genera ningún impacto, tenga paz, ese libro debe usted vivirlo completo".

Por un momento sentí que el nivel de turbulencias en mi mente llegó a ser tan agresivo, que perdí la línea de escribir y me desenfoqué, en medio de lo que me estaba pasando internamente, mientras Dios quebrantaba pensamientos en mí, yo tenía preguntas: ¿Dónde está tu justicia? Pues lo que me estaba pasando se trataba exactamente de un episodio que no estaba en mi lista de lo que tenía como expectativa en cuanto a mi matrimonio, estábamos bajo un ataque muy agresivo donde me tocó usar la misericordia que resalto en este libro, y seguir siendo el bastón de mi esposo sin doblarme, pero ambos nos peguntábamos lo mismo, mientras, no solo quería ver la justicia divina moverse, necesitaba que Dios respondiera todas mis inquietudes, su silencio me estaba produciendo más confusión que la crisis que estaba pasando, solo necesitaba que Dios me dijera el porqué, y al centrarme en buscarlo, mi mente se llenó de ansiedad, eso puso mi vista en el problema, mientras que Dios estaba esperando que le diera orden y dejará de enfocarme en esa situación que solo había venido para robar mi enfoque y quitarme mi paz.

En medio de esto, cuando menos lo esperé, la respuesta de Dios fue: *mientras preguntas por qué y tu mente está solo centralizada en busca de una solución rápida, estas consumiéndote, arrastrando una carga que no es tuya, si mi justicia actúa, entonces no sería ese Dios que tu predicas que restaura y perdona, si hago lo que estas esperando, tu conciencia no te dejará vivir. Descansa en mí, enfoca tu mirada en lo que tienes como asignación y suelta lo que no está en tus manos, de lo demás, me encargo yo.*

Entré en una pausa de agenda y tomé una serie de ayunos, meditación e introspección, me bastó quedarme en silencio para descubrir que un poco de mi ego estaba interfiriendo en medio de la situación que sencillamente quería controlar, por lo que no podía esperar a que Dios actuara en el momento que el entendía, mi miedo a ser agredida de manera moral me tenía totalmente bajo opresión, sin embargo, olvidé lo que escribí en uno de estos capítulos, que independientemente de la aceptación del público, no me valía de la aprobación de los demás, y que tenía que aceptar que no todo el mundo debía verme como yo entiendo, y que por encima de la difamación existía un propósito divino de expansión que más adelante tenía que ver, pero para eso mi humanidad necesitaba dejar de preguntar y someter el ego a la perfecta voluntad de Dios. La ansiedad de preguntar produce un nivel de confusión que no nos permite reconocer que detrás del caos, hay un orden divino que será favorable.

ORDEN DETRÁS DEL CAOS

En una ocasión escuché una frase que me impactó y se quedó retumbando en mi oído: "Hay un orden oculto en mi desorden" muy similar a la Carl Jung: "Detrás de todo caos hay un cosmos", sabemos que la palabra cosmos está asociado con el orden. Analizando esto sería bueno preguntarse detrás de todo acontecimiento que de manera repentina llega: ¿Cuál es el propósito final?

Existe una palabra griega que se interpreta como prueba, la misma está asociada al propósito de Dios con el dolor, donde su objetivo principal es hacernos madurar y desarrollar nuestra fe en medio del caos, esta palabra es *dokimazo* traducido como: "probar con el fin de". Claramente dichas situaciones a menos que no estén asociadas a un régimen de consecuencias tienen como finalidad sanar, establecer, reparar y madurar.

Génesis 1: *"La tierra era un caso total, las tinieblas cubrían el abismo, y el Espíritu de Dios iba y venía sobre las superficies de las aguas. Y dijo Dios: ¡Que exista la luz! Y la luz llegó a existir".*

Me detuve en este capítulo y me pregunté lo siguiente: ¿Por qué Dios no hizo absolutamente todo de manera rápida, sin la necesidad de manejar y respetar el tiempo? Si estamos hablando de un Dios soberano, el poderío y esencia creativa lo tiene por excelencia. ¿Por qué entonces agotar tanto tiempo?

Exactamente por ser soberano, se caracteriza por el orden, Él no violenta las reglas que él mismo establece, se toma su tiempo y ejecuta sello final cuando Él entiende.

Si Dios suelta a Adán en el huerto sin darle reglas, luego del pecado cometido tampoco podía ponerle consecuencias. Si lleva Israel a Canaán sin pasarlos por el desierto, no hubiese existido un rompimiento, cambio de estructuras y patrones mentales; murieron en el desierto porque no estuvieron dispuestos a caminar bajo el orden establecido.

Si Dios no nos somete a presión, no conociéramos lo que Él desea que conozcamos, Job estaba en medio de un desorden, un caos que no podía explicarse a sí mismo, pero el resultado le trajo orden a su vida. Luego de verse en el piso, sin nada, lleno de confusión y haberse inclusive revelado contra Dios, testifica con sus propias palabras: *de oídas te había oído, ¡más ahora, mis ojos te ven!*

Job a pesar de ser un relato bíblico con muchas opiniones, nos deja expuesto lo que cada creyente debe entender y establecer como principio de vida, los procesos no se entienden de manera inmediata, pero la respuesta y bonanza llegan cuando dejamos de cuestionar por qué y estamos dispuestos a identificar el para qué, es decir, hay un caos el cual me puede llegar a desestabilizar, pero detrás del mismo se oculta el orden que Dios quiere traer a mi vida.

El propósito de Dios con nuestro dolor no es objetivamente el maltratar, aunque así parezca, pues en su soberana voluntad conoce a dónde podemos llegar, y hasta qué nivel exactamente podemos resistir, nuestra mente y corazón no procesan la manera en la que Dios trabaja, pero muy en el fondo existe una voz interior que nos hace entender que detrás de todo sufrimiento hay un lenguaje de madurez y conocimiento divino mayor al que experimentamos antes de llegar ahí. Es por esta misma razón que luego de pasar nuestros momentos duros y difíciles, podemos testificar y dar a otros esperanza en medio de su caos.

Recordemos que cada individuo lleva consigo un temperamento, de la misma forma que desarrolla un carácter, el temperamento se hereda, el carácter se trabaja y se adquiere a medida del crecimiento que tenemos en diferentes etapas de nuestras vidas, Dios tiene como enfoque desarrollar en nosotros su carácter y naturaleza, y esto viene acompañado del dolor que muchas veces no estamos dispuestos a padecer con el fin de que esto se lleve a cabo, pues como vasijas en manos del alfarero, quebrarse también es parte del plan.

Como vasijas en manos del alfarero, quebrarse también forma parte del plan.

PEDAZOS EXPUESTOS ANTE MANOS QUE REPARAN: RUT Y NOEMÍ

Existe un acontecimiento en la vida de algunos animales e insectos que muchas veces tomamos como referencia para sostener el concepto de cambios, incluyendo una transformación que inicia por dentro y se expone de manera externa. Posiblemente solo nos agrade el resultado pero, no solemos enfocarnos en el mensaje exacto que este proceso revela; el cual, no solo se refiere a la belleza de la mariposa cuando expone sus hermosos colores, sino que nos muestra a una oruga que sufrió el desprecio y rechazo de todo alrededor que le veía con mirada asqueante, pues una oruga no es tan agradable de ver. En lo personal le tengo cierto nivel de asco, pero si viene a mi casa y revisa mi teléfono, verá que soy muy amante a ese hermoso insecto, resulta contraproducente, que lo que más asco me da, es exactamente una de las simbologías del poder creativo de Dios, para mí no existe nada más bello que una mariposa.

A manera de finalizar lo que Dios me permitió plasmar en cada página, la cual espero sea de bendición para usted, le quiero dejar este hermoso principio que no solo viví, sino que lo he visto y lo sigo viendo en miles de personas, mayormente cuando distinguimos a alguien exitoso resaltamos el resultado y la causa, pero no conocemos el efecto en sí que le llevó a donde están hoy.

Bíblicamente para mí no existe una historia de referencia a nivel de cambio de estructura, reposición y prudencia en medio del caos que la historia de Rut y Noemí, pues una vez más vemos una escena de sufrimiento y dolor, convertirse en la plataforma de la llegada del Mesías, y a diferencia de Job, Noemí, una mujer que se queda sin nada, conoce el poder de la lealtad y la fidelidad con la que Job lamentablemente no contó. En medio del caos de Noemí, Dios le dejó una semilla de esperanza llamada Rut, y la fidelidad a esta mujer, le abrió puertas de honra que sobrepasaron sus expectativas.

La crisis es la mejor amiga del crecimiento del hombre, ella tiene la capacidad de exponer la intención de todo aquel que tiene a su alrededor.

La historia de estas dos mujeres tiene un desenlace poderoso del cual hay principios ardientes para extraer, teniendo como epicentro el impacto que genera la lealtad cuando te atreves a permanecer en el proceso de los demás sin cuestionar, y te conviertes en un epicentro de fortaleza. La expresión de Rut a Noemí abrió niveles de honra sobre su vida y activó en Noemí el nivel de preparación para que el propósito de Dios se cumpliera en la vida de Rut.

Imagine por un momento pertenecer a una tierra que de repente cae en una crisis, emigras a otro lugar y pierdes a tu esposo, posiblemente sin pasar la primera etapa de duelo, la aceptación, Dios también se lleva a tus dos hijos. La que era próspera, quedó sin nada y con las manos totalmente vacías, un proceso similar al de Job, pero más que revelar la benevolencia de Dios detrás del caos, la crisis de Noemí fue la plataforma de la honra de Rut, nivel que solo se activó bajo la línea de la lealtad y resistencia que esta tuvo aun en medio de su crisis, pues por orden humana, ella no tenía ningún lazo que la uniera a su suegra, podía irse como lo hizo Orfa, pero el plan y propósito de Dios con ella era otro, aunque en medio de una situación tan dolorosa no se entendiera, Noemí pasó de la amargura a la esperanza, Rut quebrantó lazos y maldiciones generacionales por el simple hecho de ser íntegra y leal a su suegra.

¡Las suegras son una bendición, aunque tengan su mala fama ¡

Ruth 1:20 *"Ya no me llamen Noemí saludos —repuso ella—. Llamadme Mara, porque el Todopoderoso ha colmado mi*

vida de amargura. Me fui con las manos llenas, pero el
Señor me ha hecho volver sin nada. ¿Por qué me llaman
Noemí, si me ha afligido el Señor, si me ha hecho desdicha el
Todopoderoso?"

¿Cómo le explica a su mente que asimile que de la noche a la mañana lo perdió todo? Ante una situación como esta, ¿Puede nuestra mente permanecer confiando en que Dios tiene un plan? Aun en medio de su dolor, Noemí expresó una palabra que tiene mucho peso: "¡El Todopoderoso me ha puesto en amargura!"

Es decir: internamente estoy vuelta un caos, pero su soberanía ya tiene escrito en la eternidad un plan que va más allá de lo que ahora estoy sintiendo.

La desesperanza, dolor y tristeza, humanamente no son agradables al paladar de nuestro corazón, pues es totalmente inexplicable que para Dios marcar el destino y restauración de otros, utilice un dolor que muchas veces lleva nuestro nombre, el proceso inició con Noemí, pero, la resistencia de Rut le permitió conocer y entrelazarse con quien sería el sello de su proceso, y la cuna de donde saldría el Mesías.

Cabe destacar que Noemí pertenecía a una línea de creencias y descendencia diferente a la de

Rut, pues era descendiente de Moab y conocemos que este pueblo estaba bajo maldición por la adoración a dioses paganos, el movimiento de Rut no solo estaba centrado a lo que Dios haría con ella utilizando el dolor de Noemí como plataforma, dentro de este acontecimiento se quebrantaron las costumbres de paganismo y Rut no solo recibió honra, fue removida de entorno, de esclava pasó a ser una mujer importante y relacionada a una simiente diferente a la suya. Todo esto lo produjo su sabiduría y templanza que se reveló en estar dispuesta a permanecer junto a su suegra, aun cuando no le quedaba nada y no tenía ningún compromiso de permanecer a su lado.

Luego de mi proceso de restauración, humanamente decidí mantener una postura de no ligar mis emociones y procuré sostener una relación primero conmigo para saber discernir a quién le permitía entrar a mi vida y círculo íntimo, quiero ser clara y muy objetiva, actuar de esta manera para una persona que está en medio del ojo público no es una mala decisión, siempre y cuando no se tome bajo el efecto del ego y desprecio a los demás, pues no se puede confundir maltrato con cautela.

En medio de esto no puedo negar que desarrollé una dureza, pero sentada tomándome un café, recordé que, en medio de mi caos, los Orfas se fueron pero tuve a una Rut que me sostuvo y no dejó de verme con ojos de honra y respeto. De esta manera aprendí que no todo lo podemos asociar a traiciones que solo envuelven nuestro corazón en una burbuja de protección que tiene epicentro en el miedo a ser traicionados nuevamente, es necesario reconocer que cada caos tiene una semilla de favor divino revelado en el acto de servicio de aquellos que se toman el tiempo de no abandonar y permanecer contigo, eso se plasma en piedra y se guarda en las memorias del alma.

Ser conocedor de la restauración también significa experimentar el rechazo, dolor, impotencia, críticas y peor aún, ver y escuchar a personas que una vez alegaron creer en ti, sentarse en la mesa de destrucción y celebrar tu caída, pero ante lo visto y todo lo que vas a humanamente sentir, quedará expuesto que tanto trabajó Dios tu corazón, pues la restauración obra de manera muy directa la identidad, y todo aquel que tiene una identidad definida, toma las actitudes de los demás como una plataforma de crecimiento, no de resentimiento y odio. Cargar con la mochila del proceso de hace diez años, hará que tu viaje sea cargado, pesado, y lento, suelta a los Orfas y viaja ligero.

No existe en la historia de Rut y Noemí la mención de Noemí con resentimiento hacia Orfa porque decidió irse a su pueblo y dioses paganos, ella no la retuvo, la abrazó y la dejó ir. Noemí es el ejemplo vivo de la prudencia con la que se lleva a cabo la resistencia y confianza en Dios sin cuestionar siquiera aquellos que están a tu alrededor cuando estás bajo un momento de presión y viviendo una crisis, y más admirable es verla mantener una esperanza sin cuestionar a Dios, el dolor le cambió su nombre, pero también le marcó su destino.

Dentro de estos dos personajes hay enseñanzas similares, pero con significado distinto que denotan nuestro carácter frente a las situaciones no muy favorables ante el ojo humano, pero que están dentro del plano divino para llevarnos a otro nivel de madurez y conocimiento.

Job enseña que, aunque seamos íntegros, fieles, apartados del mal y vivamos una vida totalmente entregada a Dios, esto no es una capa de protección a situaciones dolorosas; cuando Dios decide procesarnos siendo el dolor la plataforma, ni siquiera nuestra integridad nos libra de ello, el dolor no es una maldad divina, no es un deleite placentero con el que Dios se divierte, sino es la plena sabiduría de su existencia que nos eleva a un nivel mayor de su conocimiento. A Dios no le sorprende absolutamente nada, mucho menos se limita a procesarte por pena, en su libro y memoria está escrita tu historia, el desenlace lo conoce aun antes de que llegues a este plano.

Noemí, el ejemplo vivo de la prudencia, castidad y sabiduría ante las situaciones adversas, entendiendo el dolor como un plan y esto no significa no llorar, sino aceptarlo más allá del cuestionamiento. El dolor le cambió el nombre a Noemí, pero la enseñó a ser mentora de la que sería la cuna de la simiente de donde brotaría el vástago que traería salvación al mundo; un ejemplo vivo de lo que se llama lealtad y fidelidad, premiada con honra. Noemí no se hizo la víctima en un rincón llorando, ni cuestionó a aquellos que se fueron, sino que aun en medio de su dolor, equipo y fue la guía de Rut para que ésta recibiera favor y gracia divina.

A Job lo abandonaron sus amigos y los mismos alegaron que su dolor era parte de un juicio divino, Noemí fue bendecida con la compañía de Rut. No todas las veces seremos Noemí, pero en medio del proceso y dolor, aprendamos a no cauterizar nuestra mente y corazón por aquellos que dan la espalda, pues los Alifas, los Bildad y Zafar, son parte del panorama, aunque le cueste digerir que se atribuye su dolor como consecuencias de pecado, en algún momento conocerá una Rut que no solo se quedará, permanecerá leal, y siempre le cubrirá con el manto de la honra. En los dos escenarios, existe un propósito divino por más doloroso que parezca.

Es posible que cuando menos esperemos, el dolor toque nuestra puerta de la manera que no imaginamos, pero tenga por seguro, que detrás de ese dolor, frustración y caos, existe un designio divino que le revelará el significado exacto de lo vivido. Diez años atrás, no pensaba de esta manera, mucho menos tenía el carácter que poseo ante lo que se llama dolor y situaciones que aquejan y ponen en balanza tu fe, pero de lo que sí puedo dar fe y testimonio, es que nada sucede por suceder, detrás de eso que llama final, inicia el verdadero sentido por el que vino a la tierra.

Rut no imaginó que el dolor de Noemí estaba relacionado con un plataforma de honra que llevaba su nombre, de la misma manera, Noemí siendo una mujer muy sabia y prudente, imagino que sería la mentora que guiaría a que la simiente del Mesías iniciará a gestarse, no solo recibió una hija, abrazó y acogió entre sus manos una partícula de un propósito de salvación que años más adelante se manifestaría. Rut es el vivo ejemplo de que Dios honra la lealtad y la fidelidad, aun cuando los beneficios no existen o son escasos.

Restaurar es sostener, y cuando sostiene revela el amor de Dios por medio de usted, una vez aprende el sentido y significado del dolor, sus cuestionamientos se convertirán en un lenguaje de adoración y una plataforma para impulsar a otros.

Los restauradores son la esencia de Dios en la tierra.

AGRADECIMIENTOS

En primer lugar a Dios, por ser mi principal patrocinador, y poner en mis manos tan desafiante y comprometedora asignación; plasmar en este libro una parte tan humana e íntima, con la única intención de llevar un mensaje de Esperanza al corazón de miles que una vez cayeron, pero olvidaron que en Dios, las segundas oportunidades existen.

A mi esposo Michel Mora Ramírez, por motivarme cada día a terminar este proyecto y ser un motor de inspiración en lo que Dios ha puesto en mis manos.

A mis pastores Mallelin Solange Gómez y Héctor Julio Frías Constanzo por hacerse el ejemplo vivo y palpable de Restauradores en esencia.

Y cada uno de los que de una forma u otra, cooperaron para que esto fuera posible. Recordando que vuestro trabajo no es en vano.
1 Corintios 15:18

Cielos abiertos sobre cada uno de ustedes

Maribel Batista Almonte

SOBRE LA AUTORA

"Nunca subestimes el poder de la gracia y la misericordia divina que alcanza el corazón de un pecador arrepentido; aquello que hoy usted ve como basura, mañana puede convertirse en abono".

Maribel Batista Almonte, mejor conocida como Maribel Almonte, es una líder de mujeres, fundadora del ministerio **A ti Mujer RD** cuyo enfoque es el mensaje que tiene como propósito la restauración y la sanidad del alma en la mujer de los últimos tiempos. Está casada con Michel Mora Ramírez. Es egresada del Seminario Bíblico de la Iglesia de Dios en República Dominicana, en el programa de Formación Pastoral, capacitada en el Instituto Médico de Atención a la Familia (IMAFA) del Diplomado de Intervención y Consejería Familiar en tiempos de Crisis.

Restauradores de Vidas, lleva plasmado el testimonio de un corazón que fue mudado y al mismo tiempo presenta las herramientas necesarias para llevar a cabo uno de los procesos más complicados que durante años ha sido un desafío para la iglesia, la restauración.

Made in United States
Troutdale, OR
06/05/2024